ASÍ EN LA PAZ COMO EN LA GUERRA

NUEVA NARRATIVA HISPANICA

SEIX BARRAL - BARCELONA

G. (CABRERA INFANTE)

Así en la paz como en la guerra

Primera edición: 1971
Segunda edición: enero de 1974

© 1971 y 1974: G. Cabrera Infante

Derechos exclusivos de edición
reservados para todos los países de habla española:
© 1971 y 1974: Editorial Seix Barral, S. A.
Provenza, 219 - Barcelona

Depósito Legal: B. 384 - 1975

ISBN: 84-322-1337-3

Printed in Spain

PREFACIO

En el libro hay cuentos escritos en los últimos diez años.* Con excepción de «Las puertas se abren a las tres», todos los cuentos fueron escritos entre 1950 y 1958. Las viñetas fueron escritas en su mayor parte en febrero de 1958 — o tal vez en marzo: sólo sé que acababan de matar a aquella muchacha en la carretera, en la noche. El estúpido, monstruoso crimen provocó mi ira, resuelta en diez viñetas que de una manera u otra describían la náusea de vivir bajo la Tiranía. Estaban algunos asesinatos conocidos — el de mi amigo Joe Westbrook, que murió a los 19 años, a quien recuerdo todavía en el necrocomio, con su perfil dantesco y los cabellos teñidos de rubio: una máscara, una mascarilla, ya no más el muchacho lúcido, el luchador corajudo; también el de «Chiqui» Hernández que tenía un gimnasio al doblar de la casa, a quien veía pasear todas las tardes por el barrio con su camiseta azul celeste, en el recuerdo: el negro fuerte, bueno y a la vez delatado, golpeado y asesinado — y unas pocas anécdotas que corrían en boca de todos. No me he permitido más que leves alteraciones de la realidad, acomodada la vida difícil (o simplemente, siniestra) a las necesidades literarias. Nadie quiso imprimir las viñetas cuando fueron escritas. Se publicaron un año más tarde en Carteles, ya en la Liberación. Después fueron reproducidas en Lunes de Revolución, ocasión en que añadí tres viñetas más — una de ellas narraba la muerte

* Este prólogo fue escrito por el autor para la primera edición cubana del libro, publicada en septiembre de 1960.

7

violenta de otro amigo, Enrique Hart. Hay otras dos viñetas que fueron escritas para este libro.

Una media docena de cuentos escritos antes de 1950 no aparecen en el libro, porque no son ya más mis cuentos: no estoy de acuerdo con ellos. «Las puertas se abren a las tres» (1949) ha sufrido algunas alteraciones, pero básicamente es el mismo cuento publicado por Bohemia en 1950. El título está tomado de un aviso colgado en la taquilla de un cine, el parque no existe más que en la imaginación y el cuento no es otra cosa que un poema escrito por un adolescente enamorado de nadie, solo. «Un rato de tenmeallá» (1950) surgió del ambiente de miseria, promiscuidad y olvido en que vivía el autor con su familia de cinco: de la habitación única de cuatro metros por ocho, de las letrinas comunes, de los días de café con leche en el desayuno, el almuerzo y la comida. Si el personaje es una niña de seis años, es sólo para poder llegar a la espantable realidad por la distancia más larga: el balbuceo, la confusa visión, la comprensión borrosa. «Balada de plomo y yerro» (1951) describe el mundo del gangsterismo criollo como las películas del oeste describen la vida de la frontera y la planicie: por medio de la peripecia brutal. El cuento ganó al autor un premio especial: fué detenido, encarcelado y multado por la policía y los tribunales de Batista, cuando se publicó en octubre de 1952. Razón: «Balada de plomo y yerro» «atentaba contra las buenas costumbres», aunque el juez que me condenó era un inmoral notorio y los policías que me detuvieron hablaban un lenguaje capaz de hacer enrojecer al carretonero habitual. Verdad verdadera: en el cuento aparecía un turista norteamericano solicitando unas turbias atenciones, que el autor puede jurar que los jueces, los policías y los funcionarios de Batista le servían con gusto, porque hacerlo formaba parte de su concepción del mundo. «Resaca» (1951) tiene como le-

8

jano personaje central a Surí Castillo, venal secretario de la Federación Nacional de Trabajadores Azucareros de aquella época. Sólo así se entienden la amargura y la frustración de sus héroes: unos pobres, perseguidos, olvidados saboteadores. El cuento no ha sido corregido nunca. Es por eso que sus toques de presciencia — la revolución hecha por los guajiros, un héroe de la Sierra Maestra, la quema de cañaverales y esa línea, «Cuando llegue la Revolución, tú y yo... seremos los que gobiernen» — son el orgullo del autor. «Josefina, atiende a los señores» (1952) se ocupa de la degradación moral y física de los prostíbulos. Como la niña de «Tenmeallá», la experimentada «matrona» de «Josefina» describe una realidad terrible en la mejor tradición del «periodismo objetivo». Para ella los males de Josefina apenas tienen importancia. Eso se llama vulgarmente egoísmo; los cristianos dicen que es ausencia de caridad; yo prefiero llamarlo enajenación: la correosa anfitriona supera la realidad con la distancia. «La mosca en el vaso de leche» (1953) está basado en un viejo recuerdo: una muchacha de la calle Amargura, que envejecía, a través de la reja de hierro, pegada a la máquina de coser. El autor creyó descubrir en ella una frustración sexual, resuelta por el expediente de nadar entre montones de costuras. Es posible que el autor se equivocara, porque entonces no tenía más que quince o dieciséis años. «Mar, mar, enemigo» (1954) es un experimento fallido. Si está en la colección es porque hay dos o tres imágenes, dos o tres diálogos que me gustan a pesar del tiempo. Otro personaje-eje lejano es pariente próximo de los pistoleros de «Balada». ¿Añadiría algo decir que es una parodia encontrada de «El viejo y el mar»? «Un nido de gorriones en un toldo» (1955) parece autobiografía, pero no lo es. Es, literariamente, un ejercicio en imaginación realista. El autor no se explica, así, por qué el cuento resulta tan irreal. Se puede

9

decir sin errar que «Un nido» es «Las puertas se abren a las tres» escrito ocho años después. «El día que terminó mi niñez» (1956) fue hecho de encargo: en 'Carteles hacía falta un cuento de Día de Reyes. Aquí aparecen muchos elementos que el autor pensaba utilizar en un viejo proyecto: «Allá en el patio»: una serie de cuentos que ilustraran los recuerdos de los días de infancia en la tierra natal. «Ostras interrogadas» (1957) es un cuento casi folklórico: el personaje central existe, la muchacha ha sido vista alguna vez por el autor en «El Carmelo» de Calzada, el final pertenece a las regocijadas leyendas de la alta burguesía nacional. Mucha gente ha encontrado a «Ostras» divertido, el autor lo encuentra repugnante. «Abril es el mes más cruel», «Jazz» y «Cuando se estudia gramática» fueron escritos en la madrugada del 5 de julio de 1958. Nadie podrá explicar por qué son cuentos tan disímiles. «Abril» descubre algunas ideas del autor sobre el suicidio. «Jazz» es una broma dada a un amigo. «Cuando se estudia» es otra broma privada. Estos dos últimos cuentos (juntos con las viñetas 14 y 15) es el único material absolutamente inédito que aparece en el libro. «En el gran ecbó» (1958) es el cuento de mayores ambiciones literarias del libro y a mi juicio casi todas están logradas. Hay varios temas — la pérdida de la virginidad, el adulterio, la discriminación racial — que pertenecen a todas las clases sociales cubanas. Si se les confía a la pequeña burguesía y la gran burguesía es porque allí las contradicciones aparecen más obvias. El cuento no declara que su personaje central es un arribista, pero el autor quiere decirlo ahora: es como si el Silvestre de «Las puertas» y «Un nido» se hubiese comprado un carro deportivo inglés.

El título del libro parece una parodia del «Pater Noster». En realidad quería evitar toda esta explicación. No lo ha logrado, porque hay que decir que las

10

viñetas anteceden y contradicen los cuentos, en la medida que la Revolución calibraba y barría la realidad que aparece en los cuentos: es por esto que el libro termina con una viñeta triunfal: sus autores han sido derrotados, pero queda su literatura invencible en los muros.

De los cuentos, prefiero a todos a «En el gran ecbó». Después me gustan «Josefina, atiende a los señores» y «Abril es el mes más cruel». Las viñetas me gustan todas por igual. Con la misma fuerza detesto a «La mosca en el vaso de leche».

Joe se leía y pensaba que el estilo del manifiesto bien podía ser de Martí. Bueno, un Martí a los diecinueve años. Leía y sin atenderlo oía el rumor del sueño de sus tres compañeros. Leía cuando comenzó a sentir sueño y pensó que el calor y el estar encerrados los

12

cuatro en aquel cuarto le daba sueño. Cuando se quedó dormido con el papel en la mano, soñó que paseaba por la calle y nadie lo reconocía con el pelo teñido. Si no se hubiera dormido, habría visto cómo la cerradura giraba despacio y la puerta se abría. Se despertó porque tiraban de él por el pelo; lo empujaban contra la pared y oyó las detonaciones muy cerca. Sintió un golpe en el pecho y creyó que había sido una patada. Cuando rodó hasta el suelo — la espalda todavía pegada a la pared — supo que habían sido los plomos al entrar en la carne y no golpes. Antes de perder la conciencia y sentir el estruendo brutal dentro del cráneo, vio inclinarse hasta él una cara que sonreía y vio el pie que vino a pegarle en la boca.

No estaba muerto, pero ya no sentía: no estaba muerto todavía. Unos hombres le arrastraban por los pies. Desde el segundo piso lo bajaron a la calle por las escaleras y su cabeza golpeaba contra cada escalón. En uno de los escalones dejó un trozo de piel cubierto de cabellos que eran rubios en la punta y muy negros hacia la raíz. Cuando llegaron a la calle, los hombres lo tiraron sobre la acera, después lo izaron y lo echaron en el camión. Antes de morir le vinieron a la mente las últimas palabras del manifiesto, escritas por él la semana pasada:

«O seremos libres o caeremos con el pecho constelado a balazos.» Era esto lo que leía.

y entonces el hombre dice que ellos dicen que le diga que no pueden esperar mas y entonces y entonces y entonces mama le dijo que eran unos esto y lo otro y que primero la sacaban a ella por delante y el hombre le dice que no la coja con el que no tiene que ver nada y que el hace lo que le mandan y que para eso le pagaban y mama le dijo que estaba bien que ella comprendia todo pero que si no podian esperar un mes mas y el hombre dice que ni un dia y que mañana vendrian a sacar los muebles y que no oponga resistencia porque seria peor porque traerian a la policia y entonces los sacarian a la fuerza y los meterian en la carcel y que entonces y señalo para mi y para julita en la cuna nos quedariamos sin nadie que nos cuidara y que lo pensara bien que lo pensara bien y entonces mama le dijo que parecia mentira que ellos que eran pobres como nosotros se unieran a los ricos y el hombre dice que el tenia que darle de comer a sus hijos y que si a ella no se le habia muerto ninguno de hambre a el si y mama todo lo que hizo fue levantar la mano y enseñarle tres dedos y el hombre se quedo callado y luego mama miro para nosotros y dijo que nosotros no nos habiamos muerto porque quizas morir fuera demasiado bueno para nosotros y le dijo que le diera un dia mas y el hombre cambio la cara que se habia puesto cuando mama le enseño los dedos por la que trajo y entonces mama dijo que en vez de cobrar debian pagar por vivir en aquella y dijo una palabra dificil seguida de una mala palabra y el hombre respondio que a el no le interesaba y antes de irse le dice que mejor iba empaquetando las cosas y que no fuera a dañar el piso o las puertas o los cristales de la luceta porque tendriamos que pagarlo y lo que mama hizo fue tirarle la puerta en la cara y el tipo dijo que eso no lo decia el sino el dueño y que no fuera tan injusta pero al golpear la puerta contra el marco una de las bisagras de arriba se zafo y la hoja casi se cayo y mama comenzo a maldecir y decir cosas malas y luego comenzo a halarse los pelos y darse golpes en la cabeza hasta que cayo al suelo y se puso a llorar recostada contra la hoja que se mecia cada vez que sollozaba y mariantonieta se arrimo a ella y le dijo que no llorara que todo se arreglaria y que quiza papa trajera dinero pero mama siguio llorando y mariantonieta se puso a darme de comer como antes de que llegara el hombre y me golpeo en la mano porque y me meti los dedos en la nariz y luego hice una bolita y entonces yo cogi y empece a llorar y cuando ella trato de seguirme dando la comida le pegue en la cuchara y la bote al suelo y entonces ella me levanto por un brazo con fuerza pero no me dolio porque mas me dolian las nalgadas que me estaba dando y dice que yo soy una vejiga de mierda y cogio la tabla de encender la candela pero entonces mama la aguanto y le dijo que me dejara que bastante teniamos ya para que nos fueran a estar agolpeando tambien y entonces mariantonieta dice que ya yo tengo seis años para comprender bien lo que hago y lo que pase y me levanto otra vez pero por el otro brazo y senti como la tabla hacia fresco por arriba de mi cabeza y entonces mama le grito que hiciera lo que ella decia y que que clase de hermana era ella y que que pasaria si ella faltara y nos dejara a su cuidado y mariantonieta me dejo y se fue a comer y no debe de haber estado muy buena porque un nudo subia y bajaba en su garganta y entonces fue que llego papa que venia arrastrando los pies con la cabeza como si la tuviese directamente sobre el pecho y no sobre los hombros y mama dijo que no tenia que preguntarle para saber que no habia conseguido nada y que si no hubiera sido por ella que logro que le fiaran los platanos no hubieramos comido y que que pensaba el que si creia que asi se podia seguir y papa dijo que nadie queria prestarle y que cuando lo veian venir se iban antes de que llegara y era muy duro para un hombre ver como los que el creia sus amigos le viraban la espalda ahora que estaba cesante y que si acaso alguno se quedaba para oirlo no era por mucho rato y que invariablemente le decia que el estaba muy chivado ahora para echarse mas problemas encima pero que veria a ver si podia hacer algo por el pero que no lo estuviera apurando y cayendole arriba y velandolo como si fuera un muerto y salandolo y que el tuviera que aguantar callado dijo y hasta sonreir porque el maldito hambre lo obligaba y dio un puñetazo en la mesa y luego hizo una mueca y se paso una mano por la otra mano y siguio que los unicos que lo buscaban eran los garroteros y a esos si no queria encontrarselos pues ya uno lo habia amenazado dijo y lo habia zarandeado como si fuera un trapo y que el habia tenido que soportarlo porque penso que si lo mataba iba a parar a la carcel y nos vio a mi y a julita mendingando y a mariantonieta haciendo algo peor y a mama muerta de vergüenza y hambre dijo y que mas valia que un tranvia lo matara pero que ni para ayudar a eso tenia el ya valor fue lo que dijo y entonces mama le repitio que que iba a hacer que que iba a hacer que que iba a hacer cada vez mas fuerte hasta que las venas del cuello se le pusieron como si por debajo de la piel tuviera una mano que empujaba con los dedos luego le conto que ya habian venido los de la casa aunque solo fue uno solo pero fue eso lo que ella conto y que la demanda la iban a cumplir mañana y entonces papa dijo que lo dejara descansar para pensar un momento y que si ella se iba a poner contra el tambien que le avisara y la mano de mama se fue atras poco a poco y cuando hablo la voz la tenia algo ronca y dijo que estaba bien que estaba bien y que la comida la tenia en el fogon y que no debia estar caliente porque se habia apagado la candela y ella no queria volverla a juntar porque no quedaba mas que una tabla y quedaba por hacer la comida si aparecia algo y entonces papa le pregunto que si ella había comido y mama respondio que ya pero mariantonieta dice que mentira que no habia comido y entonces dice que habia tomado un buche de cafe y que no tenia ganas de comer mas nada que tenia el estomago lleno y papa dijo que de aire y que viniera a comer que hiciera el favor y la cogio por un brazo que si no el no comia y mama dijo que no sin soltarse que era muy poco y que a el le hacia mas falta que estaba caminando y papa dijo que donde comia uno comian dos y que se dejara de boberias y mama se sento en el otro cajon que el habia puesto junto a la mesa y empezaron a comer y a mama casi se le aguaron los ojos y hasta beso a papa y todo y como ya no habia mas nada que oir sali y cogi mi caballo que estaba tirado en el piso descansando y sali por el portillo al placer y me subi la saya y me baje los pantalones y cuando la tierra estuvo bien mojada puse todo en su lugar y me agache y comence a remover el fango bien para que las torticas me salieran bien y no pasara lo que ayer cuando no alcanzo para hacer un buen cocinado y se desmoronaban en las manos y pense que que queque hubiera hecho y hice unas cuantas y las puse a secar bien al sol para que estuvieran listas cuando llegaran los demas chiquitos del colegio yo no iba porque no tenia ropa ni dinero para la merienda y porque mama tampoco me podia llevar y era muy lejos para ir sola y poderlas vender bien por dos botones cada una y regrese a casa porque el aireplano tenia el

17

motor roto y no pude ir hasta mejico a mi finca en mejico y volvi en mi entemovil y frene justo en la coqueta con la defensa rayando el espejo y que lio porque hacia seis meses que no pagabamos un plazo y mañana venian a llevarsela junto con los otros muebles y mama estaba alli aguantando la hoja mientras papa clavaba bien la bisagra y cuando la puerta estuvo lista papa le dijo a mama que hiciera el favor de darselo que tenia que irse y mama dijo que no que no que no que no que no que no y entonces papa le grito que no se pusiera asi y mama respondio tambien gritando que no que eso traia mala suerte que los viculnos se rompian y que el bien sabia lo que le habia pasado a su hermana y entonces papa le djio que no fuera tan sanaca y que se dejara de tonterias y que si se iba a poner con superticiones y que no fuera a creer esas papas rusas y que mas mal no podiamos estar y que si su hermana se habia tenido que divorciar no habia sido porque lo empeñara sino porque ella bien sabia con quien la habia cogido tio jorge bueno tio no no tio sino esposo de tiamalia y mama le grito que si el tambien se iba a poner a regar esas calumnias y que parecia mentira que el conocia bien a su hermana ama nadie se pona de acuerdo con el nombre pues mama decia ama y papa amalita y abuela hija y nosotros tiamalia como para saber que era una santa incapaz del menor acto impuquido asi dijo y que aquello habia sido una confusion lamentable y entonces papa se quedo callado trago algo aunque yo no vi que estuviera comiendo y dijo que estaba bien que estaba bien que no queria volver a empezar a discutir y que le diera el anillo porque ella sabia bien que era el unico ojebto de valor que nos quedaba y que si el suyo estaba alla ya no veia por que no iba a estar el otro que la superticion o la llegada de un mal cierto lo mismo alcanzaba a uno que a otro y que de todas maneras una desgracia mas no se iba a echar de ver y que ademas el

18

le prometia que tan pronto se nivelara seguro que se refería al piso que esta todo escachado lo primero que sacaba del empeño eran los anillos los dos y entonces mama se lo fue a sacar pero no salia y le dijo que viera que el mismo anillo se negaba a irse pero papa le dijo que eso se debia a que las manos hinchadas y maltratadas no eran seguramente las mismas finas manecitas de hace veinte años y desde que se lo puso no se lo había quitado y que eso salia con jabon y mama fue y metio la mano en el cubo y se enjabono bien el dedo y papa le dijo que no lo gastara todo que era lo unico que quedaba y que nadie se habia bañado todavia y mama saco el anillo del agua espumoso y lo tiro al suelo papa lo recogio y se fue y mama se quedo maldiciendo pero enseguida se callo y dijo que le dolía la cabeza y le pregunto a mariantonieta que si quedaba alguna pastilla y mariantonieta se puso a registrar en la gaveta y dijo que si con la cabeza y le dije a mama porque estaba de espaldas dice que si y mama dijo que la pusiera sobre la mesa tan pronto como acabara de fregar se la iba a tomar y recostarse un rato a ver si se le pasaba y mariantonieta dijo que ella se iba a bañar y mama le dijo que le podia hacer daño acabada de comer y ella respondio que para lo que habia comido y mama se puso a fregar y mariantonieta a recoger agua en el cubo y yo sali corriendo por entre las sabanas y toallas tendidas en medio del patio y a cada sabana le deje un vano prieto al pasarle la mano a ver como estaban las torticas y entonces me acorde que negrita estaba enterrada cerca del basurero hace tanto tiempo que casi se me olvido y fui alla y arranque las yerbitas y arregle la cruz que estaba media caida y me acorde mucho de ella mas que nunca antes como si hubiera muerto mientras arreglaba la cruz y llore y no pude comprender por que se muere la gente precisamente cuando uno mas la quiere y por que hay que morirse y me acorde tambien de como orinaba y levanta la pata igual que ella sobre la cruz y me rei y tumbe la cruz y vine corriendo para aca y en el camino cogi un palo y cuando pase junto al gato de la encargada le di un palo en el cocote pero siguio durmiendo como si nada aunque luego yo creo que no siguio durmiendo

cuando volvi mama ya estaba terminando y mariantonieta estaba secandose el pelo al sol y cuando iba a entrar su cuerpo se puso entre mama que salia y el sol en el suelo y mama dijo que que claro estaba el dia sin siquiera mirar al cielo y que se pusiera algo mas debajo y ella contesto que nadie la iba a ver ni nadie iba a venir y que ella no iba a salir y que además habia que ahorrar ropa interior y mama dijo que hiciera lo que le diera la gana y se fue a botar la enjabonadura luego lavo el platon de fregar y le dijo que hiciera el favor de secar la loza aunque todos los cacharros eran de lata y que ella se iba a tomar la aspirina y lo hizo y se acosto y mariantonieta se sento junto a la mesa y tambien lo hizo y cuando termino ya mama estaba metiendo ruido con los ronquidos y entonces comprendi por que papa de mañana tenia cara de sueño y ojeras por la mañana y fue cuando el caballo habia regresado solo y aproveche para montarlo aunque papa dijo una vez que las niñas no debian montar a caballo y volvi a ir a buscar las tortas y las traje porque ya estaban y me pare en la puerta y me puse a pregonar y entonces vi como salia del cuarto y venia para aca pero antes de llegar se paro en la puerta del cuarto de moises y le pregunte mi hermanita donde vas pero ella no me respondio y yo volvi donde vas mi hermana donde vas y ella me dijo que siguiera vendiendo que se me iban a ir los clientes y casi vi una sonrisa en su cara triste y seria y entonces cuando yo volvi a preguntar el abrio y ella le dijo algo y debia te-

ner mucho calor por que se desabotono la blusa y yo
me puse mas cerca y debia haber alguna lamina en su
pecho porque el no dejaba de mirar aunque a veces si
dejaba y miraba a todos lados pero no como miraba a
mi hermana yo no se como ella se atrevia a estar alli
pues bien sabia lo que habia dicho mama que no nos
arrimaramos al cuarto de ese cochino polaco porque
ella lo habia sorprendido mirando por el tragaluz del
baño mientras mariantonieta se bañaba y que ella le
habia gritado que se bajara y que el no se habia bajado
y que ella lo había amenazado con darle un palo o llamar al guardia y que el se habia aprovechado de que
sabia que pepe papa no estaba en casa y le dijo que se
bajaba si le daba la gana y que no lo apurara y antes
de bajarse le dijo algo a mariantonieta que mama no
pudo oir y que ella no quiso decir que era cuando salio
y no le dijo nada a papa para no buscarle problemas
porque sabia el genio que tenia pepe y que iba a haber
una tragedia y yo no se como ella se atrevia y ahora debia tener algun bicho entre los senos porque el seguia
mirando como si quisiese poner los ojos donde la mano
ahora quiza para matar el bicho pero ella no queria ma-
tarlo y le quito la mano y le dijo que adentro y parece
que el queria hacerle algun regalo porque le pregunto
que cuando cumplia los dieciseis y ella dijo que el mes
que viene y el dijo que estaba bien que entonces no
habia problema y que entrara y mama dijo un dia que
no entraramos ahi nunca asi nos ofreciera el un mundo
colorado y cuando yo le pregunte que por que ella me
dijo que porque el era un hombre asqueroso que hacia
cosas asquerosas y cuando le pregunte como era un
mundo colorado me mando bien lejos pero yo creo que
ella se refirio a que no limpiaba el cuarto y no tendia
las camas y que habia mucho polvo y suciedad sobre
todo porque mi hermana cuando entro hizo una mueca
como cuando le dan a uno un purgante y yo vi que fue

21

hasta la cama y comenzo a quitar las sabanas y ahora
sabia que seguro que el la habia llamado para que le
hiciera la limpieza y que eso fue lo que le dijo antes de
bajarse del tragaluz y entonces el cerro la puerta y yo
fui porque vi que estaba abierta hasta la ventana y me
agache por debajo de la cortina para mirar no fuera
ser que a mariantonieta le hiciera mucho daño el polvo
y la vi pero ella dibio haber trabajado mucho mientras
el cerro la puerta y yo fui hasta la ventana y debia sen-
tirse muy cansada porque se había acostado en la cama
y habia mucho calor alli dentro entre las cajas grandes
apiladas y las pilas de trastos viejos amontonados y los
montones de telas y de cosas y de y de porque aunque
no faltaba mucho para nochebuena ella comenzo a quitarse toda la blusa y cuando acabo seguia quitandose
cosas pero entonces la cara de moises se asomo por debajo de la cortina y me dijo que fuera una niña buena
y una niña linda y me fuera a jugar y metio la mano en
el bolsillo y la extendió por entre los barrotes y me dijo
que cogiera ese kilo y que fuera a vender la mercancia
y yo le pregunte que que cosa iba a hacer mi hermana y
el cambio la cara como el cobrador y me dijo un negocio juntos un negocio y que cuando saldria le pregunte
y me respondio que orita y que cogiera el kilo entonces
fue que me acorde que me acorde que el tenia el kilo
en la mano y me dijo que le dijera a mama que me diera
un rato de tenmealla y cogi el kilo que estaba embarra-
do de sudor y el entro la mano y yo me levante y el
cerro la ventana y yo sali corriendo y apretaba el kilo
y corria repitiendo un rato de tenmealla para que no
se me olvidara y entonces cuando llegue mama estaba
todavia dormida y la desperte y le dije que decia que
decia que me diera un rato de tenmealla y ella se levanto con la cara marcada por el alambre y los ojos
hinchados y me tomo en los brazos y me apreto contra
su cara y la senti fria y rugosa como si hubiese sido el

22

propio alambre del bastidor y me pregunto que quien
lo decia y yo le dije que el dulcero y me dijo con una
voz agradable y suave casi sin mover los labios que por
el amor de dios dejara a la gente trabajar en paz que
ese hombre se estaba ganando la vida en su negocio y
por poco le pregunto que como lo habia adivinado porque estaba hablando casi en el mismo tono que moises
aunque las caras no se parecian y me dijo como el que
me fuera a vender mi mercancia tranquilamente y no
supe como ella supo que yo estaba vendiendo y volvi a
mis tortas y segui pregonando mientras en el cuarto
cerrado los ruidos de la limpieza apenas llegaban a mis
oidos y parece que mi hermana se habia dado un golpe
porque a menudo gemia y entonces fue cuando llego
papa igual que la otra vez y me dijo que recogiera las
cosas y entrara al cuarto porque alli no debia seguir
pues en el solar vivian gentes sinvergüenzas y me dijo
que recordara siempre que a la pobreza y la miseria
siempre sigue la desonra y aunque no comprendi mucho lo que dijo si entendi como lo dijo y recogi el ta-
blero con la mercancia y entre con el y ya mama estaba
en pie cosiendo una bata toda llena de remiendos y le
pregunto a papa que que hubo y papa dijo no le dijo
negra o mi vida como siempre sino julia que solo le habian dado unoquince y mama dijo que si por esa y repitio la mala palabra que siempre decia habia empeña-
do el último lazo que la ataba a el que bien la podia
meter y dijo otra mala palabra mas mala y cobrar cincuenta centavos por cada uno que consiguiera y papa le
grito que no fuera tan animal y que se fijara ante quien
hablaba esas cosas y a mama se le volvio a ver la mano
bajo la piel del pescuezo y papa siguio gritando cosas
y le dijo que bien podia ella haber hecho otra cosa que
no fuera parir hembras que no eran mas que rompede-
ros de cabeza y apenas podian ayudar mientras no te-
nian quince y que a esa edad se iban con cualquier de-

23

sarrapado y no se ocupaban de quienes las habian trai-
do al mundo y mama le dijo que la culpa la tuvo el que
era quien las habia hecho y el le grito que no le faltara
el respeto delante de las niñas aunque yo era la unica
que puede oir en ese momento y como si hubiese leido
lo que yo pensaba se lo dijo asi a papa mama y le dice
tambien que esa es una manera facil de salir del paso
y la bronca sigue y yo me asomo al oir que una puerta
se abre y como pense era la de moises y salgo y corro
al tiempo que ella sale y parece que el polvo la ha hecho
daño porque cuando sale tiene los ojos inritados y es-
cupia a menudo y fue a la pila y se lavo la cara y la
boca varias veces y me dio un niquel y me dijo que
fuera y trajera alcol sin que se enterara mama y cuando
se agacho a coger el pedacito de jabon que vio en el
fondo de la pila se le cayo un rollito de billetes del seno
y yo lo vi y se lo dije yo vi el rollito yo lo vi vi el rollito
de billetes yo lo vi y empece a saltar cantando yo lo vi
yo lo vi yo lo vi el rollito el rollito rollito y parece que
no le gusto porque grito con los dientes apretados que
me callara la boca y yo le pregunte que de donde lo habia sacado y que si era que moises le habia pagado por
limpiarle y tambien le pregunte te lo regalo mi hermanita te lo regalo te lo regalo y ella me dijo que no que
acababa de vender algo que nunca recobraria y yo la
interrumpi y le dije que el que y ella siguio como si no
hubiera oido pero que es necesario pues habia que evitar el desasio dijo o algo parecido y que si ese habia
sido el precio que que se iba a hacer y que ahora sabia
donde encontrar la plata a fin de mes y que quizas si
hasta pudiera comprarnos alguna ropa y comprarse ella
tambien dijo y acabo de lavarse y parece que el jabon
le cayo en los ojos o le duele alguna tripa porque fue
al ultimo servicio en el fondo y estuvo llorando y cuando yo abri la puerta y entre y le pregunte que que pasaba me boto y me dijo que me fuera a jugar y que la

dejara tranquila que no tenia ganas de ver a nadie ahora ni nunca mas si fuera posible y le pregunte que si le
habia hecho algo malo o dicho algo que no estaba bien
y me dijo que no y me dijo mi vida y mi amor por primera vez hacia tiempo y me beso varias veces como
hacia tiempo que no lo hacia y ese fue el dia mas feliz
para mi porque casi nadie me regaño y todo el mundo
me beso y acaricio y hasta me regalaron un kilo y le
pregunte que si nos ibamos y me dijo que ya no que ya
no y ya no teniamos que volver al campo como dijo
papa a comer lo que sembraramos si nos dejaban sem-
brar y comer aunque fuera en los rejendones de la sierra
o donde el jejen parece que se rie puso el huevo y me
acorde del kilo porque me pico el oido porque me acorde de los mosquitos porque cuando me fui a rascar lo
encontre aunque creia que estaba perdido y lo cogi y
entonces me fui a enterrarlo para que me diera una
mata y poder comprar chambelonas y globos sin tener
que revolver los basureros en busca de botellas y mientras corro con el kilo en la boca canto

«...y el susodicho caminaba rumbo a la población de
marras en unión de los individuos ya mencionados,
cuando fueron interceptados por una patrulla de tres
soldados, que les dieron el alto; luego de ser registra-
dos y al no encontrarles armas encima, les conminaron

26

a que avanzasen delante de la referida patrulla, siem-
pre apuntándoles con sus armas; fué ese el momento en
que mi cliente escuchó las detonaciones y se sintió he-
rido, perdiendo acto seguido el conocimiento. Igonra él
cuánto tiempo hubo de estar inconsciente, pero al vol-
ver en sí, notó que le cubría la tierra, dándose cuenta
de que había sido enterrado, al creerle muerto sus
atacantes; después de librarse de la tierra, procedió a
buscar a sus compañeros, a los que encontró enterra-
dos no lejos de allí, ambos muertos. Por último, sabién-
dose herido de gravedad, salió en busca de auxilio, el
que halló en casa de unos vecinos del lugar, que le pres-
taron asistencia, conduciéndole más tarde al puesto de
socorro de la ciudad.

»Para que se tenga conocimiento de estos hechos y
se inicie el correspondiente procesamiento del culpable
o los culpables, elevo este informe...»

27

LAS PUERTAS SE ABREN A LAS TRES

Arriba el sol era un hueco en el cielo por donde entraba el mediodía: el amarillo amarillo de los edificios pintados de amarillo y el blanco quemante de las aceras y el malva del asfalto y el negro de la pelambre de los gatos que dormían en los tejados y el azul de las niñas de los ojos de las niñas de azul: el verde de las hojas nuevas de los laureles y el olor de ajos machacados en las axilas de los muchachos (de caras brillantes y llenas de barros y heridas de uñas y navajas mal manejadas y pelo brillante sobre unas cabezas llenas de ideas nada brillantes) tomando cocacolas en las cafeterías y la fragancia de las faldas de las muchachas al frotarse y el perfume de sus cabelleras: mezclado con el ruido baboso de los besos y el vuelo de las golondrinas y la algarabía de los niños que jugaban a la pelota junto a los autos parqueados junto al parque y el silencio de los ancianos meciéndose en viejas y rechinantes mecedoras y el temblor de las viejitas y el tintinear de las cucharas al chocar con los dientes: el tufo de las cámaras recalentadas y el interior de los ómnibus y de los calzoncillos tendidos al sol: el hedor insoportable de las carnicerías y las funerarias y los consultorios y las fosas y las aulas de la escuela de medicina y de todos los carniceros y de todos los médicos y de todos los estudiantes de medicina y de todos los enterradores y de todos los agentes de pompas fúnebres: lo cadavérico: la muerte o los matadores o los que viven de los muertos o los profanadores de muertos o los que adornan los muertos o los que andan con los muertos: la Muerte y los que la sirven o se sirven de

28

ella —esto yo no lo sentí (porque no lo deseaba), pero sabía que estaba en el ambiente como sentía el ruido del aire entre las ramas de las arecas.

El rumor del viento en las hojas de las buganvilias y la fragancia de las fedoras me traía su recuerdo; me llegaba en el viento, mezclado con el ruido desvaneciente de la ciudad allá abajo, y aunque yo sabía que no estaba en el aire, sentía su olor palpitando en las aletas de la nariz y un sabor dulce y agrio y picante me venía a los labios mientras un dolor agradable subía por las paredes de mis huesos nasales (como cuando uno come helados de seguido, sin respirar, sólo llevando la cucharita de las bolas frías al hueco caliente, y al revés, sin respirar, no temiendo más que que las bolas se acaben o se acabe uno antes que ellas o que venga alguien a pedir, sin pedir: por eso: come-come-que-te-come-que-te-come sin abrir la nariz y sin cerrar la boca, sin respirar) y llegaba hasta los lagrimales y sentía las orejas calientes y rojas y los ojos me dolían bajo los párpados y bajo la tarde espléndida.

Su recuerdo estaba en el zumbido de la brisa en las vicarias y los cosmos, en el olor a sal y espuma que venía mezclado con el murmullo evanescente de los pinos de la costa, en el vuelo de las palomas sobre mi cabeza, en la tersura del mármol que acariciaban mis dedos, en el gusto a mar que entraba en mis pulmones a cada bocanada: en la tarde y en mí: en la vida que me rodeaba y pugnaba por entrar, afuera y en la vida que empujaba para salir fuera, dentro: en todo.

Estaba sentado en la silla giratoria y afilaba el lápiz raspando la suela del zapato izquierdo y enseguida garrapateaba unas caras planas y sonsas sobre el anverso del recibo, listo hacía ya media hora, y las borraba, para luego pintarlas de nuevo y borrarlas otra vez. Me aburría sin nada qué hacer y nada en qué pensar, sólo esperando que se fuera, no aguardando más que saliera el último para marcharme a casa, pero ellos no se iban; no era que no lo desearan, sino que no podían; yo no quería comprenderlo y cuando alguno se asomaba por sobre mi buró y estiraba la mano y la sacaba fuera de la ventana y le daba vueltas — como si la hornease — estúpida y ceremoniosamente, lo miraba serio y se marchaba rápido y no lo repetía — pero todos (casi todos, mejor dicho: la madre no se había despegado un momento de allí y la niñita permanecia en un rincón, acurrucada y con los ojos enrojecidos y el viejo que no había llorado porque tenía lentes ahumados y bajo ellos no tenía ojos, aunque lo disimulase muy bien y no usase bastón ni lazarillo, que fue el único que fue a la puerta y salió a la acera y estuvo mirando el cielo como si viese y allá permaneció hasta que el agua le rodaba por los cristales negros y regresó al salón todo empapado y la mujer le dijo: «Pero, Papá» — esto sucedió tres veces) habían hecho lo mismo, uno cada vez.

Dentro estaba el hedor pegajoso de las flores de muerto y los colores y ruidos que acompañan al ceremonial: las coronas de crisantemos rojos y crisantemos blancos,

las dalias,
las extrañas-rosas,
las hortensias,
las rosas,
las cannas,
los amarantos,
las gardenias,
los pensamientos,
los cojines de gladiolos blancos
y gladiolos rojos,

y los cuchicheos y las voces apagadas y las risas sofrenadas y las malas palabras reprimidas y los deseos avivados por el alcohol y refrenados por el respeto y el miedo, y los suspiros, los sollozos, los gritos ahogados, los aullidos incontenibles, las lágrimas fuera, los ruidos de siempre tratando de entrar e impidiéndoselo los otros :

el rodar de las ruedas y el pitar de los claxons y el ajetreo de las gentes al pasar casi corriendo y los gritos anónimos y el chapaloteo de las suelas y las gomas y el correr del agua y el caer intermitente, intenso del agua.

Afuera, la lluvia caía ruda como al comienzo; adentro, las mujeres seguían llorando como al principio, blanda y débilmente y los hombres continuaban haciendo los mismos chistes groseros y miraban la mujer que media hora atrás había tenido un ataque de nervios y se había rasgado la blusa, como si aún tuviera los senos al aire y no le hubieran cubierto el pecho con un chal negro. Ya las mujeres no tenían chiste que contar ni los hombres lágrimas que llorar y todos teníamos ganas de que aquello acabara : ellos para descansar del muerto y yo para descansar de ellos y del muerto.

Pero el aguacero no variaba más que para coger fuerzas.

El insoportable vaho de las flores (yo no debía sentirlo ya, pero a pesar del tiempo siempre me molestaba), ahora aumentado por las últimas coronas que habían llegado, se apelotonaba sobre mis sienes y me envolvía el rostro, cerraba mis ojos, cubriéndolos de agua en las comisuras y entraba por la nariz, impidiéndome respirar. Me levanté y fui hasta la puerta y me recosté al marco a mirar cómo llovía. El agua corría por las cunetas y las paredes y se deslizaba calle abajo, hacia la esquina donde estaba la entrada de la cloaca; papeles y desperdicios y un programa de cine y gollejos de naranjas flotaban en el agua ya clara y transparente.

Me volví al escuchar un nuevo escándalo en la capilla y antes de comprobar qué ocurría, pasó por mi mente — no sólo por allí: por todo el cuerpo — una sensación extraña, agradable; sin saber qué era, permanecí unos segundos inmóvil y aguardando, luego comencé a buscar por el salón y no encontré nada y entonces me volví y la vi (ahora podía ver la acera opuesta con nitidez) apretada contra la pared y los pies dando pequeños saltos al ser mojados por el agua. Estaba protegida por la menguada marquesina de la casa de efectos eléctricos y radios y tocadiscos, ahora cerrada y el agua caía alrededor de ella, en cerco.

La lluvia disminuía con rapidez y el cielo empezó a despejarse; ya la gente comenzaba a trajinar en la calle de nuevo y el suelo se cubrió de periódicos abandonados; ella se aventuró a separarse de la pared y adentro comenzaron los gritos de nuevo: inevitablemente, escampaba.

Tuve que entrar para entregar el recibo y me detuve a ayudar a cubrir el ventanillo y cargar el féretro hasta el carro. Luego la gente se abalanzó sobre la puerta y me empujaron hacia atrás. Cuando salí ella se iba y los autos se habían puesto en marcha. Lentamente fueron saliendo y al quedar la calle despejada, vi su vestido violeta a lo lejos. Sentí que se marchase. Antes de entrar vi en el pavimento empapado el letrero que decía *airarenuF*.

No muy lejos, abajo en la calle o quizás allí mismo, en cualquier cantina, una victrola automática o un tocadiscos (la música tenía ese sonido que sólo produce un fonógrafo o una banda lejana) o una orquesta: un septeto y una sola voz repetían una y otra vez, incesantemente, un bolero dulce y embriagador, como la tarde:

A las tres es la cita
no te olvides de mí

Y el viento se llevaba las palabras y la música y entonces sólo oía el murmullo de los árboles y el aire y mi respiración y volvía con él:

Al caer de la tarde
cuando se oculta el sol
Nos hallará la noche
hablándonos de amor

El grato perfume de las madreselvas que ya comenzaban a abrir me circundaba, fundido con la fragancia de los jazmines y el aroma de las resedas. De las ramas de las buganvilias venían los gorriones y escarbaban entre la yerba y algunos llegaban hasta mis pies y picaban restos de rositas de maíz esparcidos en un cartucho roto.

Caminando hacia mí venía una muchacha vestida como ella y por un momento creí que era ella, pero cuando casi me levantaba a recibirla, salió de detrás un hombre y ella se apresuró y extendió los brazos y los tomó entre sus manos, y caminaron juntos.

La segunda vez yo estaba en la biblioteca, estudiando anatomía y ella estaba leyendo una novelita rosa o algo por el estilo. Levanté la cabeza y encontré sus ojos: dos bolitas negras rodeadas de negro: no pude estudiar más y cogí el lápiz y comencé a dibujar su cara y cuando terminé le pasé el papel; ella lo miró con recelo, pero luego que vio lo que era me sonrió y dijo amablemente:

—Me ha hecho favor. Yo no soy así.

—El lápiz es haragán y mi mano torpe. Fue lo mejor que pude hacer. Es un pálido reflejo.

—Gracias — dijo ella.

Me pasé al asiento junto a ella y aparentamos hablar de estudios, aunque por debajo de las palabras habituales corrían otras palabras.

Cuando ella se levantó para entregar el libro y marcharse, la acompañé. Salimos. Afuera, la tarde, soleada, resplandecía. Caminamos juntos y seguimos hablando: yo miraba su pelo a veces amarillo y otras dorado, como la cerveza o como orines de yegua, y ella miraba las

33

sandalias que cubrían sus pies pequeños y sorprendentemente perfectos. Anduvimos un gran rato, aunque entonces me pareció que caminamos poco.

—Parece que llevamos el mismo camino — dijo ella.

—Oh, no. Yo me quedo en la otra cuadra. ¿Vive por aquí?

—Voy a casa de mi tía, al doblar. ¿Y usted?

—Yo trabajo en... — mi lengua se detuvo mientras los pies seguían llevando mi cuerpo junto al de ella; y entonces la miré bien y me pareció haberla visto antes (no frente a la funeraria, antes de eso, mucho antes), pero no traté de recordar. Continué contemplándola: baja y quizá un poco gorda y con las caderas amplias y los senos redondos y su cara hermosa y casi perfecta: sólo la frente demasiado ancha y masculina, rompiendo la línea de muchacha-muchacha, y su boca que era a primera vista insolente, pero luego se revelaba amable y casi tímida, y la pequeña nariz y los brazos y las manos, finas y tiernas y suaves: su cuerpo perfecto.

Ya en la escalera, en la casa, luego que había subido dos escalones y vuelta hacia mí, antes de proseguir, le dije:

—No me ha dicho su nombre.

—Virginia — me dijo.

—Me llamo Silvestre — le dije.

Cuando llegaba a la reja y casi oprimía el botón, pregunté:

—¿Nos volveremos a ver?

—Yo vengo todos los días a la misma hora — me dijo.

—Hasta luego — le dije.

Me fui sin escuchar su despedida y con las manos en los bolsillos y sonando las monedas, y ni siquiera esperé a oír sus pasos mientras subía las escaleras.

Al otro día fui, pero llegué demasiado temprano y

tuve que esperar en la puerta. No bajaron más que chinos (no sé cómo podía haber tantos metidos en una casa que sólo tenía dos pisos: el primero estaba ocupado por una logia y en el segundo debía vivir su tía y nunca he visto chinos masones). Cuando me iba, después de haber aguardado una hora, la vi aparecer tras la esquina y ya no me acordé — ni me importó — lo demás.

Dos palomas volaron sobre el parque tomadas de las manos y una perra y un perro pasaron junto a mí, cogidos del brazo. Ya hacía rato que las puertas y las damas de noche y los jazmines y las madreselvas se habían abierto.

Oí unos pasos y cuando levanté la cabeza vi una pareja que caminaba por la acera del parque, hacia los bancos bajo la ceiba. En ese instante pasó un camión pintado de rojo y miré sus rostros (antes sólo había mirado los pies de ella) y los vi enrojecer. Pero cuando pasó el camión sus caras continuaban enrojecidas. Miré el camión que se alejaba y me di cuenta que era un camión de recogida de basura nuevo y era blanco.

En algún reloj a pesar de mí dieron las cuatro.

La tercera — o la cuarta, mejor dicho, contando la vez antes de la primera — vez la vi cuando estaba en la carnicería de mi tío y sentía estar allí, y salí rápidamente y me paré junto a la línea como si estuviera esperando el tranvía, para que ella me viese allí y comprendí que estaba renegando de mi tío — más que de él, de su oficio — y que lo mismo que me había empujado a hacerlo, me había hecho ocultarle dónde trabajaba y lamenté haberle contado que estudiaba medicina.

Luego paseamos y al final, cansada ella de caminar y yo deseoso de poder hablarle con tranquilidad, nos sentamos en el parque. Pero cuando le fui a hablar, ella puso su mano sobre mi boca (sentí sus dedos en mis labios) y me dijo que no se lo dijera ahora que la dejara mirarme y que no hablase. Y ahí permaneció un gran rato. Después se recostó y reclinó la cabeza en el espaldar y miró el cielo y cerró los ojos. La creí dormida y me incliné sobre ella, pero antes de llegar me dijo, sin abrir los ojos, casi un susurro: «Quieto». No volvió a hablar más que cuando se iba:

—Espérame — me dijo —. Las puertas se abren a las tres. Vendré.

Comprendí: por eso la estaba esperando ahora; pero eran las cinco y no estaba. Ella sabía que yo debía estar en el trabajo antes de las cinco y no podía dejar de ir. Me dijo a las tres. Pero no venía. Yo tenía que irme y deseaba verla, porque presentía que no podía decirle otro día lo que iba a decirle hoy. Pero no venía. Ya las puertas se habían abierto hacía dos horas y pronto las cerrarían. Pero no venía.

Yo sabía que ella no sabía que yo sabía que ella no tenía tía alguna en aquella casa ni quizás en otro lado fuera de los muros del cementerio y que sólo lo había simulado, para que yo no supiera dónde vivía. Pero yo no ignoraba que ella ignoraba que yo no ignoraba que ella era hija de un enterrador y vivía en una casita de madera al final del cementerio, más allá de donde entierran a los que no tienen tierra donde ser enterrados. Por eso yo tenía noción de que la conocía, porque un día fui a acompañar un entierro, y luego, para alejarme de la gente que lloraba, llegué caminando hasta la casa entre los pinos y la vi, lavando bajo un árbol que no era pino, pero ella no me vio, porque estaba llorando y sus lágrimas rodaban por su cara y caían en la batea y se fundían con el agua en que lavaba. Me fui porque un perro que estaba sentado en la puerta comenzó a gruñir y los gritos insoportables de las mujeres parientes del que era enterrado, indicaban que ya lo estaban bajando y que yo tenía que estar allí para irme en el carro — lo recordé, porque me la imaginé llorando no sé dónde y no sé por qué.

El sol era un hueco en el cielo por donde se iba la tarde.

El aura agradable había cesado y un viento fuerte e insoportable de cuaresma, comenzaba a soplar ya. El olor pegajoso de las azucenas y las mariposas y las madreselvas lo llenaba todo. El parque estaba solitario y yo estaba solo. Adán, Adán, me dije, tienes todas tus costillas.

No muy lejos, abajo en la calle o quizás allí mismo, en cualquier cantina, una victrola automática o un tocadiscos (la música tenía ese sonido que sólo produce un fonógrafo o una banda lejana) o una orquesta: un septeto y una sola voz, gangosa e insufrible, repetían incansablemente una canción estúpida y sin objeto como mi estancia allí:

A las seis es la cita

Y la voz gangosa y a veces rajada, continuaba, alargando las vocales, distorsionando las palabras:

noteooolvidees deemii

y el viento la traía cada vez con más fuerza:

teengotaantas coositaas
queeeteequieeroo deeciirr

Y el viento de cuaresma y la voz gangosa:

poorque tueeres midioos

Y el viento y la voz y el acompañamiento, insufribles:

no faalltees alaciiita
queteesperoalass seeiss...

Y el viento y la voz y la música y el parque se quedaron allí.

Me fui con el sol: un sol mustio se ponía modestamente tras las azoteas: al mirar a atrás, al bajar la vista vi el banco: sentados en él una muchacha y un muchacho hablaban muy juntos, casi sin dejar que las

37

palabras se movieran en el aire: como si oyeran por la boca y los labios fuesen orejas.

Continué mi camino: el hedor de las carnicerías y los consultorios y las fosas y las aulas de la escuela de medicina y las funerarias, y de todos los carniceros y de todos los médicos y de todos los estudiantes de medicina y de todos los enterradores y de todos los agentes de pompas fúnebres, me asfixiaba y aunque yo no quería sentirlo (sólo deseaba su recuerdo, la fragancia de su recuerdo, pero no podía sentirlo porque no estaba ya en el aire) se introducía en mi nariz, obligándome a oler su fetidez cada vez que respiraba. Mis zapatos crujían.

Abajo, en la calle, un hombre con una larga pértiga en las manos encendía los faroles uno a uno: al verlo comprendí: fue entonces cuando me di cuenta que estaba solo-solo y que nunca más vería a Virginia: nunca más sentiría lo que sentí cuando ella me dijo: «Espérame. Las puertas se abren a las tres. Yo iré»: la idea de la soledad me espantaba: pero era inevitable y la acepté: lo supe porque unas lágrimas gordas me nublaron los ojos. Ya no pude distinguir más que los reflejos amarillos de las luces amarillas.

Todo sucedió en silencio. Los rebeldes iban de pie en el camión y los soldados les apuntaban con sus San Cristóbal. Detrás venía un jeep, también con soldados. Los focos del jeep alumbraban el camión, y a los ojos de los prisioneros los soldados y sus armas viajaban

40

en la luz. Los vehículos se detuvieron junto a un árbol. El jeep rodeó el camión y dirigió sus faros al árbol. Del jeep se bajaron un teniente y dos sargentos. Dieron órdenes y los otros soldados que iban en el jeep y los que iban en el camión subieron al árbol y ataron las sogas. También les hicieron los lazos corredizos y los pasaron alrededor del cuello de cada rebelde. Uno de ellos había venido pensando por el camino: Voy a gritar viva la revolución. Cuando le pasaron el lazo todavía lo pensaba, pero no dijo nada. Uno de los soldados regresó a la cabina del camión y encendió el motor. Los soldados con las ametralladoras se bajaron del camión. Los rebeldes estaban silenciosos y rígidos contra la luz que hacía fantasmales el tronco y las ramas del árbol. El teniente hizo una señal y el camión arrancó. Los tres hombres se balancearon agitándose un momento, luego sus pies dieron un tirón final y quedaron inmóviles, colgando suavemente. Los soldados volvieron a subir al camión. El teniente hizo señas al jeep de que alumbrara a los colgados. Miró uno a uno los cadáveres y luego montó en el jeep. Regresaron al cuartel.

BALADA DE PLOMO Y YERRO

El *Buick,* negro, acortó la marcha y rodó una o dos cuadras más, hasta parquear sin ruido bajo un laurel que ocultaba el farol de la esquina y su luz.

De delante salió un negro (del mismo peso y tamaño, de idéntica figura, vestidos iguales: pantalón blanco y guayabera blanca y zapatos y jipi blancos y cubiertos de la inmune y confiada seguridad de dos delegados moviéndose al unísono) por cada puerta: sólo la guitarra que llevaba uno de ellos evitaba que pareciese una película donde dos cómicos imitan la existencia de un espejo; de detrás emergieron por la misma puerta un mulato de chaqueta a cuadros y pantalón verde, que usaba patillas y un lacio bigote de mejicano y un blanco con traje oscuro y cuello y corbata y calobares, el pelo ligeramente rubio peinado con esmero y los zapatos crujientes y lustrosos. Todos se bajaron simplemente, sin alardes y se reunieron sobre las nudosas raíces del árbol.

—Bien, aquí estamos — dijo el blanco y se pasó la mano por sobre los cabellos del cogote. Hablaba con una voz suave y lenta, demorando las palabras, sin mover apenas la boca. Fue hasta el centro de la calle y miró a todos lados, luego caminó hasta la acera de enfrente y al rato volvió.

—El lugar es bueno. Las casas están separadas y hay un placer al lado y la calle está libre. Pasan las guaguas por la esquina, pero no importa: no vamos a estar tan fatales que se atraviese una. Buen lugar.

—Estaba bien el chequeo de los Mellizos — dijo el mulato.

—Sí.

—¡Bien hecho, cará!

Un negro se separó del grupo y dio unos pasos por la acera y se agachó y recogió un higuillo del suelo, lo estrujó entre los dedos y se limpió dentro del bolsillo lateral del pantalón. Sacó el pañuelo, lo desplegó en el contén y se sentó. Miró a lo largo de la calle, arriba y abajo una y otra vez.

—To el mundo etá dolmío — dijo.

—La gente de aquí se acuesta con las gallinas.

—Mejol.

—Prenelbar haygene — dijo el otro negro, hablando demasiado rápido.

—Ya sabrán a qué atenerse — dijo el mulato.

—Van a correl má — dijo el negro y se rió.

—Sí. Van a haser ejersisio sin querer.

—Lacorreera vaserande — dijo el otro negro y emitió un sonido gutural indefinido.

—¿Y esa fiesta? — preguntó el blanco.

—Na — dijo cada uno, serio.

—¿Y la chapa? — preguntó sin transición.

—Pérate.

Un negro o el otro se volvió al auto y se introdujo en él y luego de hurgar, dentro, regresó con ella en sus manos.

—Aquistá — dijo.

—¿Y qué esperas? — dijo en un tono amablemente autoritario. El otro no dijo nada y caminó hasta la máquina y quitó la matrícula posterior y puso la otra en su lugar.

—Yastá — se acercó.

—Entodavía no vasel farta — dijo el otro negro y devolvió la guitarra al interior del automóvil.

—¿Y qué hora es?

—Las dies y dies — respondió el mulato.

—¿Y a qué hora es?

—No me acuerdo.

—Mira ver.

El mulato extrajo un papel del bolsillo interior de la chaqueta y trabajosamente comenzó a leerlo a la poca luz que había. Dos o tres palabras se les escaparon en voz alta.

—Alrededor de las onse y media. El sábado vino a la una y el martes a las dies, y anoche no salió. Pero los demás días ha llegado entre dose menos cuarto y onse y cuarto.

—Estamos un poco adelantados.

—Mejol, así etá ma filme el purso cuando venga — dijo un negro.

Los mellizos habían hecho su parte bien. Los mandaron a vigilar la calle y tomar nota de las salidas y entradas del hombre, porque parecían uno solo: se podían sustituir en el chequeo sin que nadie lo notase ni siquiera ellos mismos, porque tal parecía que la sección del cerebro donde grababan lo visto y oído se la pasaban de uno a otro como la caricatura de la antorcha en una carrera de relevos, y el sustituto seguía ordenando el material registrado en la misma forma que el sustituido y alguno que acertó a fijarse más de una vez en el hombre pequeñito parado en la esquina creyó sin lugar a dudas que era el mismo individuo: por eso cuando lo contaron todo allá, cada uno enumeraba los movimientos del hombre en la mitad del día, y el otro lo completaba o lo iniciaba. Les habían encargado ese trabajo para que el tipo no se diera cuenta y se quedara, ya que tenían la perfecta cara del cretino: los ojos botados sobre el pequeño pegote de la nariz, la frente abultada y el cráneo redondo y corto; los brazos regordetes, inútiles y la misma manera de caminar con las puntas de los pies unidas, los talones separados y las piernas gambadas. Ellos no tenían nada que ver con la organización, pero uno de la plana mayor vivía en el mismo solar que ellos antes de ser oficial clase quinta y fue él quien los trajo.

La vigilancia fue para ellos agradable y ligeramente cómico, pues tenían abundante comida y le dieron una pistola para los dos (porque uno de ellos la pidió y la rogó y la suplicó y porque se la entregaron con la condición de que les mandarían las balas tan pronto se formara algún rollo) y se sintieron gente importante. Habían dormido en la caseta de Obras Públicas en una construcción dos cuadras más allá y les llevaban la comida en un cajón de carpintero. Cuando uno terminaba su turno, se arrimaba allí y en el momento que no veía a nadie en la calle se escurría adentro de un salto y al poco rato salía el otro caminando de espaldas.

Al atardecer del día en que se cumplía la semana de estar vigilando, vino una máquina y dos individuos se apearon y cargaron con el que estaba parado en la esquina y luego hicieron lo mismo con el otro, que estaba en el interior de la caseta mirando cómo una fila de hormigas se llevaba un pedazo de pan; y los escondieron en un lugar apartado para que no pudieran ver a nadie. Ellos habían hecho el trabajo con la infalible paciencia de un insecto y lo hicieron bien, pero había un pero.

—Se olvidaron del garaje.

—Mejor. Vamos a tener una facilidad que no esperaba: tendrá que bajarse de la máquina a abrirlo. Voy a arreglar la puerta.

Extrajo de un bolsillo una cajita de chicles y se echó una pastilla a la boca y comenzó a mascar con fuerza. Cruzó la calle, franqueó la verja, y atravesó el angosto pasadizo entre los jardines; llegó al portal y se detuvo frente a la puerta, antes había sacado la goma de entre los dientes y ahora la introducía firmemente y lentamente en el ojo de la cerradura; luego se limpió los dedos en los bajos y regresó.

45

—¿Y ya dieron con la estación?

—No, entodavía. No lo hemos ensendío entodavía.

—¿Y para cuándo lo vas a dejar? — volvió a preguntar, de nuevo colocando la misma letra que era la misma palabra ante cada interrogación, para enfatizarla.

—Ahora.

—Que a ustedes hay que indicarles a cada momento lo que tienen que hacer.

Uno de los negros, el que había respondido, que era el chófer, se metió dentro del auto y encendió el radio; cuando estuvo caliente hizo girar el dial y lo detuvo; al cabo de un rato un agudo pito salió silbando por la bocina y una voz monótona repitió: «Carro diez. Carro diez. Reporte y diga situación en la demarcación. Carro diez. Diez y cuarenta y ocho», y se calló tan de repente como había comenzado.

Permaneció sentado frente al timón escuchando el radio y para sustraer la atención del espacio en blanco que quedaba entre señal y señal, se puso a mirar a través del parabrisas y a lo largo de la calle mientras fumaba. La calle atravesaba un reparto lleno de casas modernas y residencias fabricadas según la moda que dominó el gusto de los ricos por los años 38 y 40 y palacetes construidos con retazos de viejos estilos europeos, antes del 33. El barrio era nuevo y aún había solares yermos en los que se veían unas vallas anunciando su venta.

—Fista — murmuró.

Era una noche quieta y cálida de comienzos de junio y la fresca brisa que venía del mar zumbaba en las hojas de las palmeras y hacía cambiar la sombra de los laureles sobre el asfalto. De los jardines subía un vaho húmedo y musgoso y grato: el olor de la tierra mojada y la frescura de la yerba llena de rocío y la fragancia de los jazmines y las madreselvas se confundían en un aura dulce y suave que chocaba contra las caras y los gestos de aquellos hombres, demasiado duros para la amable noche de verano.

—Mierda — murmuró.

Cincuenta y cuatro minutos después de que llegaron, un automóvil se acercó a ellos y frenó violentamente. Todos se miraron alarmados y se pusieron duros y se tocaron el lado izquierdo, menos el mulato que se llevó la mano al lado derecho y uno de los negros que agarró la guitarra y puso los dedos sobre el cierre.

—¿Qué pasa? — todos sintieron cómo la voz conocida los aflojaba.

—¿Qué tal, Papo? — dijo el blanco.

—¡Hey! — dijo el mulato.

—Buena, Brau Lima — dijo un negro.

—Quiaysecretario — dijo el otro.

—¿Nada?

—No. Todavía.

—¿Hubo algo?

—No, sólo un problema con un americano. Pero no tiene importancia. Estaba borracho. El que no viene es el tipo.

—¿Habrá olío argo?

—Sí, quisá sospeche.

—No, no recuerda lo que hizo y tampoco recuerda que nosotros podemos recordar — dijo Papo.

—El que hace siempre olvida lo hecho y olvida también que al que le han hecho nunca olvida — dijo otra voz, adentro.

—La venganza ha llegado y nuestra demora la perdonarán los mártires — dijo Brau Lima o Papo o como se llamase.

Cuando terminaron, los negros sintieron ganas de aplaudir y el mulato ganas de cagarse en ellos y el blanco de dejar todo aquello de una vez.

—Hasta luego.

—Buena puntería — gritó alguien desde adentro.

—Adiós.

—Uruguay — dijo un negro o el otro.

El auto partió sin ruido y sin luces y marchó lentamente hasta perderse en una curva.

—Y la venganza de los otros nos alcanzará — dijo el mulato, contagiado con la tirada retórica.

—Nuestra gente nos vengará — dijo el blanco.

—Y ellos buscarán la revancha. Y los que queden de nosotros se desquitarán con los que queden de ellos. Hasta completar una ensarta interminable de muertos.

—Te crees un remate y no comprendes que no eres más que un eslabón de la cadena.

—Cuidaonolalealguien — dijo un negro y se rió.

—Ese chamullo no lleva a ningún lao — dijo el otro de adentro del auto.

—Hay otro que sí — dijo el mulato, molesto.

—¿Qué?

—Tú sabes.

—¿El qué?

—Ya te dije que tú sabes.

—¿Miedo? — preguntó mientras salía del auto.

—¿A qué? — preguntó el otro, repitiendo el equivalente de un acto que había hecho mucho de muchacho: ponerse una paja sobre el hombro y susurrar desafiando, «¡A que no me la quitas!».

—A desil.

—Tú sabes que no. Con ella no le tengo miedo a nada — y la golpeó suavemente.

—Guapo detrás de un gatillo no sirven un carajo.

—Lo contrario: uno con unos cojones como para fajarse con los puños con cuatro, teniendo una cuarentisinco ensima. Y qué fue — y sacó la pistola, le quitó el peine y la tiró dentro de la máquina antes de que el otro tuviera tiempo de hacer otra cosa que echarse para atrás, pero los otros que no habían estado atendiendo y sólo habían oído palabras sueltas que no decían nada dichas en un tono que no significaba nada, se dieron cuenta del que fue y se metieron por el medio.

—Tabuenoyá.

—Dejen eso — dijo el blanco en un tono que era ligeramente más duro y alto que el acostumbrado. — No quiero litigios. Por lo menos antes de esto. Luego pueden rifársela. Pero ahora han venido a algo y tienen que hacerlo.

Se miraron dispuestos a darse la mano si alguien lo proponía, pero nadie habló y el negro caminó hasta debajo del árbol y se recostó al tronco y el mulato entró en el auto y volvió a cargar la pistola.

Diecisiete minutos antes de que preguntara la hora por segunda vez uno de los negros advirtió:

—Ahí viene un guardia.

—Naturales, caballeros — dijo el blanco y cada uno adoptó el aire que creía más inocente y que era el que los hubiera hecho aparecer más culpable ante otro policía que fuera menos incapaz.

—¿Ocurre algo? — dijo el policía.

—Nada, guardia.

—Matando el tiempo.

—¿Qué hasen por aquí?

—Esperando un amigo.

—Le van a dar una serenata, ¿eh?

—Sí, una serenata.

—Una sorpresita que le queremos dar.

—Vamos a selebrar un aniversario.

—¿Quién los manda a ustedes, la Atesé?

—La misma.

—¿Pertenesen a ella?

—Anjá. Somos del sindicato.

—Bueno, no se me demoren mucho.

—Está bien, guardia.

49

—Hasta luego. Que se diviertan.

—Muchas gracias. Hasta luego — dijo el blanco.

El policía continuó su camino, haciendo la posta, débil y enjuto dentro de su disfraz y caminando trabajosamente sobre sus pies planos y cansados.

—Y bien que nos vamos a divegtil — dijo un negro, cuando ya se había marchado.

Uno de los negros se metió de nuevo en el auto y el otro volvió a sentarse sobre el pañuelo, en la acera. El blanco y el mulato quedaron juntos hablando.

—¿Qué hora es? —preguntó el mulato.

—Las onse.

—Caramba, hace ya una hora y media que estamos aquí.

Dentro de la media hora salió un hombre del bar de la esquina y mientras venía hacia ellos dejó de ser un hombre para ser una sombra. Cuando estuvo cerca se convirtió en un hombre grande y gordo al que los hombros subidos hasta el cogote aumentaban la estatura; un tipo enorme: más de seis pies y alrededor de doscientas treinta libras, la cabeza ancha, pesada, el cuello corto y grueso, las piernas pequeñas y los brazos largos y colgantes y cubierto de profuso vello rubio; tenía una apariencia simiesca y usaba una camisa amarilla con palmeras verdes y una gorra de visera larga verde y pantalones amarillos y zapatos de suelas dobles: estaba vestido con el eterno atuendo que los turistas traen cada vez que visitan La Habana, escogido con el mismo criterio del explorador que hace su primer viaje al corazón de la selva. Venía completamente borracho: dando tumbos y cantando una canción con voz acolchada:

—Yess ahwanna cubanaa
too ssuuck mah priiicckk at Havaanna.

Yes aprittty cutiiiiee cubannaa
too ssuuck to suucckk

La última frase se le quedó en la boca, tambaleán-
dose frente a los hombres a un costado de la acera.

—Oh! Dose sspics agan — dijo —. You kno fellahs
spics ah wan you let me put lehs on'oder side. Stepp
aside, yellos! Put yors darty feet off de wohk.

Fue a empujar al que estaba más cerca, perdió el
equilibrio y cayó al suelo. Mientras se levantaba vio
la guitarra y fue hacia uno de los negros, y le dijo:

—Ah wanna you to make music in that guiterra for
me. Look — y sacó un par de maracas del bolsillo — ah
have two cubans rattle of meself. Lets ssing ssomthing
we both — el negro se quedó quieto, mirándole a los
ojos. — Come on, lets ssing a butiful ssong we both.

—Gouan, american. Les we alone — dijo el mulato,
trabajosamente. — We wan to be alone.

—Dont bother me. Ah wanna him to make music
for me.

—Garahed — dijo el blanco y el borracho lo miró
y no pudo entender lo que dijo y se volvió al negro.

—Come on, fellah sspic, make mine music. Come on.

—Let him tranquil — le dijo el mulato, inventando
las palabras y lo tocó en la espalda. El americano borracho volvió a mirarlo y le dijo de mala gana:

—Wotta you tryng aganst me ¿Wotta yoy tryng to
do me, dirty yello? Am goin to put you in jail. Am an
american — lo amenazó y volvió al negro: — Come nig-
ger boy make music. Look I gotta... gotta... How do
you say? Oh yeah. I gotta marracas... marracas — y se
las puso ante los ojos.

—Compadre, métase las maracas en el culo.

—Oh, you darty negro, lousy son of — y la palabra
negro soltó el contén que aguantaba a los otros y se
abalanzaron sobre él antes de que su mano golpeara
al negro, pero los barrió de un golpe. El blanco saltó

y se colocó tras el tipo y le puso la pistola en el lomo. Sintió bajo las palmeras verdes la dura presión y comprendió por debajo de la borrachera, que era una pistola sobre las espaldas y se quedó quieto.

—Garahed, saramambich o te meto un plomo en un pulmón.

Se desprendió de ellos y siguió caminando a tumbos y más allá de la media cuadra comenzó a cantar de nuevo con su voz fofa:

—Ah wanna a chiquita banana
to suck mah bohs at Havana
Too suucckk mah baalls at Havaaannaa.

Los hombres sentían llegar sobre sí la mitad de la noche, pesante, y vigilaban: el blanco achicaba los ojos astutos y miopes tras los calobares (bajo los gruesos lentes sus ojos eran en extremo pequeños y parecían hundidos y alejados del rostro) y los movía pausadamente, mientras la cabeza permanecía firme sobre los hombros; el mulato iba de un lado al otro, dando grandes zancadas con sus piernas largas y extraordinariamente móviles. En una ocasión se detuvo y preguntó:

—¿Por qué estás en esto?

—Me gusta — respondió un negro.

—¿Y tú? — preguntó al otro.

—Necesito unos yerros.

—¿Y tú?

—Estoy esperando la otra guerra. Hice lo mismo cuando vine de España. No tuve que esperar mucho. Del 38 al 41. Ahora esto se demora demasiado. ¿Y tú?

—Soy el único que no sé por qué ando en este asunto. Me lo he estado preguntando toda la noche y no puedo responder — y se rascó, inquieto, el pelo duro como alambre.

—Estás nervioso. Es porque es tu primera noche.

Lo mismo pasa en la guerra a los que entran en batalla por primera vez y a las mujeres que paren por primera vez. Nervios. Ya te pasará.

El mulato dio la espalda y comenzó a ir de un lado para otro de nuevo. Los demás volvieron a vigilar. Al cabo de un rato, uno de los negros entró en el auto y se sentó al timón, y el otro abrió el estuche de guitarra y sacó una ametralladora de mano sin culatín, le colocó un peine exageradamente largo y se sentó en un guardafango.

Cerca de las doce, el silencio se volvió algo con cuerpo, que casi se podía tocar: la brisa del mar se detuvo y los danzones del tocadiscos se callaron y los autos dejaron de pasar por la calzada. De pronto, en el silencio denso de la medianoche el tlok tló del tolete de un policía sonó como un aviso. Con el golpe, ellos se volvieron y vieron al hombre, que aun se movía con el impulso que le había dado la guagua, y vieron también la bota del policía colgando como un apéndice del otro estribo, todavía. Se quedaron un momento sorprendidos, porque ya no lo esperaban y menos lo esperaban por ahí. El blanco pensó «Por eso fue que no mencionaron el garaje», pero dijo:

—Ahí está.

—Yateníaeldeomóso — dijo un negro.

—¡Vaya! — dijo el mulato.

—¿Cualés? — preguntó el mismo negro.

—Ahí está, en la esquina.

—¿Cuáldellos?

—El de jipi. El otro cruzó la calle.

El hombre caminaba ahora por la acera opuesta, casi junto a la esquina. Andaba despacio y confiado y venía vestido con traje blanco y sombrero de jipijapa. Marchaba con las piernas estebadas y los codos separados.

—Ya. Arranca — dijo el blanco, arrimándose al chófer — y deja el motor en marcha. No enciendas las luces y atiende el radio. Tú, vigila la calle de la espalda y si hay algo dispara dos o tres ráfagas al aire. Luego tú sabes lo que hay que hacer. Mulato, te escondes detrás de la tercera mata y después que yo dispare, corres y lo cruzas y lo rematas.

Había hablado más rápido que nunca, pero quedamente y sin titubeos. Estaba tranquilo. Fueron a la acera de enfrente y el mulato se·quedó tras el arbolito y él comenzó a avanzar hacia el hombre que marchaba muy despacio hacia él. Caminaba con el saco abierto, y la mano derecha ligeramente combada sobre el vientre y la izquierda sosteniendo uno de los faldones. Se cruzaron. Se viró y sacó la pistola no bien pasó frente al hombre, pero el otro se volvió y lo vio con el arma a la altura del pecho, disponiéndose a tirar, y trató de decir algo y no pudo, porque la bala ya había salido y se le metió en la frente, bajo el ala del sombrero y quedó con la boca abierta. El hombre, con un tiro entre los ojos, le dio la espalda y corrió unos metros y trató de saltar al jardín, pero la cerca era demasiado alta y los bajos del pantalón se enredaron en una pica y cayó hacia atrás (la pierna todavía enganchada en la reja) con el cuerpo combado en un arco inverosímil y aleteando los brazos. El blanco corrió al centro de la calle y gritó: «Acábalo, Yeyo» y antes de terminar el grito, se volvió y vio al otro sobre el hombre y la línea de fuego que unía la mano del mulato con su pecho y oyó las cuatro detonaciones y casi enseguida oyó el tableteo innumerable de la Thompson, y aun con el estruendo en sus oídos y en sus ojos la figura rota del hombre colgando cabeza abajo, ya sin sombrero y sin vida caminó hasta la máquina, mientras el arma volvía a matraquear, y por encima del staccatto del ratatatatá de la ametralladora oyó la voz de Yeyo tratando de hacerse oír.

—¿Qué? — gritó y en el mismo instante cesó el tableteo y su voz sonó extraordinariamente fuerte en el súbito silencio.

—No es — dijo el mulato desde el otro lado de la calle.

—¿Qué? — repitió.

—No es el tipo.

Y todos corrieron para allá y cuando llegaron vieron al hombre enganchado en la reja por los pies y la cabeza sin pelos tocando la acera y en la frente un punto morado. Se quedaron callados.

—No, no es. Éste es calvo.

—¡Coñoo! — dijo uno.

—¡Me cago en Dios! Hemos trabajado por gusto — murmuró otro en voz baja.

El hombre bajó la tapa de la maleta del auto y se volvió al sargento.

—Yo soy muy viejo para ser revolucionario — dijo sonriendo. El sargento no sonrió y nadie supo si era por exceso de sentido del deber o por falta de sentido del humor.

Junto al automóvil un soldado mantenía abierta una de las puertas para alumbrar dentro y ahora terminaba de mirar la guantera. A unos pocos pasos otro soldado sostenía un rifle, apuntando hacia la máquina y mirando a las cuatro viajeras. En la parte trasera, al medio, estaba sentada una muchacha, hermosa, la vista al frente, su perfil hacia él en una forma que creyó orgullosa y rebelde.

El hombre regresó al auto, se despidió cortésmente de la patrulla y entró. Echó a andar con cuidado. Detrás quedaban los tres soldados, mirando al carro que se iba entre una nube de polvo, alumbradas las partículas de tierra por los faros, como una aureola. Uno de los soldados — el que había mirado hacia adentro con insistencia — recordó una lección de tiro y a su memoria vino claramente la cifra del alcance del Springfield. Luego pensó que la máquina debía estar ya a unos cien metros. Levantó el arma y se la echó a la cara. Apuntó al centro del carro y contó: «Ciento veinte, ciento veinticinco...» No vio el resultado, pero pudo predecirlo. En la academia de reclutas, uno que había estudiado medicina, le explicó que el cerebro nada en un líquido a presión y que una bala de alta velocidad casi siempre lo hace estallar cuando penetra, como cuando se le dispara a un tanque lleno de agua, que revienta.

El soldado bajó el rifle y miró al sargento. El sargento miraba a la máquina detenida a lo lejos, su interior alumbrado y no volvió la cabeza. El otro soldado se echó a un lado, a la cuneta, atemorizado, pero sin saber exactamente de qué. El primer soldado sonrió y miró al rifle y miró al otro soldado y miró al sargento.

RESACA

Llegaron de detrás del dagame, proyectados de pronto contra la copa del árbol, extenuados, con el sol del mediodía encarnizado sobre sus cabezas pajizas y el polvo también pajizo ascendiendo desde la loma hasta diluirse en el aire, más allá de ellos. Eran dos. Uno de ellos, el más bajo, sostenía sobre el hombro al otro hombre, mientras su brazo se perdía tras las espaldas del más alto y reaparecía en una mano bajo la axila: era una mano larga y flaca, a la que los dedos descarnados hacían parecer más larga, una mano que se agarraba al ancho pecho del hombre alto para sostenerlo. Finalmente, descendieron la pequeña loma y llegaron.

—Llegamos — dijo el hombrecito, con una voz demasiado bronca para los huesos de su cara. Ayudó al otro hombre a sentarse en la tierra y se paró a su lado, mirando atentamente la pierna del hombrón que emergía ensangrentada y rota por entre los flecos de la pierna del pantalón. — Llegamos, Cheo — repitió, sacudiéndole por el hombro.

—Sí — dijo el otro.

—Descansa un poco y podremos alcanzar el río — dijo y se pasó la manga de la camisa por la frente, secándose el sudor. En la piel tostada por el sol le quedó una estría de tierra blanca. Era un hombre esmirriado, de mejillas chupadas y pómulos salientes, y al fondo de la cara unos ojos negros y apagados, como dos carbones muertos; su boca era una línea bajo la nariz casi aguileña y sobre la mancha de la barba crecida.

—García, sigue tú y déjame aquí — dijo Cheo, reuniendo todo su ánimo para hablar, y habló con la voz profunda y dulce de la gente de la Sierra Maestra, cantando un poco por encima del dolor.

—No. Yo sigo contigo.

—Di que yo sigo contigo. A rastras.

—Ya estamos cerca del río.

—Vete. No tardarán.

—Estamos cerca del río. Lo peor pasó ya.

El hombrecito se sentó junto a la pierna del hombrón. Por entre los jirones de la tela salía el hueso grande y blanco, astillado arriba entre una pulpa de sangre y carne. La pierna curiosamente no se había hinchado de la herida hacia abajo, sino hacia el muslo; pero hasta los bordes del zapato de baqueta toda la piel tenía un color verde violáceo y la carne parecía hecha como del barro oscuro que se usa en los tejares. La pierna se ennegrecía más desde la mañana.

—Parece que va mejor — dijo García, mirando la costra fangosa que rodeaba la suela de sus alpargatas.

—Tú sabes que no, García. Yo no veo la noche.

—No digas eso, Cheo. Tú aguantarás hasta el pueblo.

—No, no podré. No podré llegar ni al río.

—Tienes que llegar. No me puedes dejar aquí solo. Llegarás aunque...

—No, no podré. Ni aunque fue...

—...tenga que llevarte cargado.

—...ra en máquina llegaba al pueblo.

—Yo no me puedo quedar aquí solo, contigo muerto. Tú tienes que llegar — dijo el hombrecito, poniéndose en pie, casi frenético.

—Yo no llego ni a la noche, García — dijo, despacio, mientras se iba hacia atrás su corpachón.

El hombrecito se acercó al hombrón caído de espaldas sobre la tierra y le miró ansioso la cara y notó sus ojos abiertos.

—No te asustes. Todavía veo el cielo y siento la tierra en mis espaldas.

El hombre llamado García se separó de su amigo y caminó hasta la loma y miró atentamente la llanura, sus manos haciendo de pantalla para proteger la vista del sol, que resplandecía en la sabana y en toda la planicie sobre el horizonte. El cielo y el suelo dolían en los ojos, despejados, sin una nube o un árbol donde descansar. Sólo en el llano, aquí y allá, un solitario algarrobo o las escasas y peladas palmas canas hacían una leve sombra en la plancha brillante de la tierra sembrada de espartillo. No se veía nadie.

—No hay nadie — dijo García al regresar.

—No tardarán mucho.

—No se ve nadie ni señales de que vengan. Te dije que los dejamos atrás.

—A ellos no hay quien los deje atrás. Cuando lleguemos al pueblo estarán en la entrada, en el cuartel, esperándonos.

—Pero serán otros.

—Todos son iguales.

—A ésos no les paga el Central.

—Les pagará otro Central, no te ocupes.

García iba a decir: «Entonces lo que tú quieres es que nos coma el león», pero vio el temblor en las rodillas de aquel hombre grande, indestructible y a la vez indefenso contra la destrucción, tumbado de espaldas, hablando por encima del dolor y se calló.

—García, ven acá — llamó el hombre llamado Cheo —. No, ahí no. Siéntate aquí a mi lado. Así. Cuéntame del Paraíso inalcanzable.

—Alcanzable.

—Está bien, cuéntame.

—Cuando llegue la Revolución, tú y yo...

—Tú solo.

(«Yo solo», pensó el hombrecito. «Si acaso») — ...seremos los que gobiernen. Tú y yo, y Yeyo y Sánchez y Braulio Pérez y todos los obreros del central, los de

Sao, los de toda Cuba: todos los obreros del mundo cogeremos el poder y gobernaremos y haremos leyes justas y habrá trabajo para todos, y dinero. Iremos a los mejores hospitales... allí te arreglarán bien la pierna y ni se te notará. Viviremos en casas buenas, limpias, lindas casitas con luz y radio y todo.

—Hasta refrigerador.

—Hasta refrigerador. Y telivisión también. Los niños irán al colegio y ninguno los mirará por arriba del hombro. Ni a nosotros tampoco nos mirará nadie por arriba del hombro. Todos seremos iguales. Los haitianos serán igual que los dueños. Y nosotros igual que los chinos. No habrá falta de trabajo, ni tiempo muerto...

—Ni desalojos. Recuerda que al viejo...

—...no, ni desalojos tampoco. Ni injusticias. Habrá justicia para todos. Justicia social. Sí, será un Paraíso, un verdadero Paraíso — y el hombrecito suspiró, recogió las rodillas arriba, enlazó sus manos alrededor de ellas y se quedó mirando al cielo y a las nubes que habían aparecido, con ojos de fiebre. Los carbones no estaban apagados.

—Un paraíso imposible de alcanzar.

—Al contrario, muy posible.

—No para mí. Yo no lo veré.

—Tú lo verás. Ya verás, si Dios quiere...

—Dios está demasiado ocupado vigilando sus pecados.

—Ya verás cómo te pones bien y lo ves. Todos lo veremos.

—Si no llega antes que se vaya el sol, creo que me lo pierdo.

El hombrecito que el hombrón llamaba García miraba las nubes gordas y blancas que flotaban en la tarde, suavizada ya porque el sol comenzaba a caer. Un aire rumoroso sacudía las ramas del dagame y hacía

61

sonar las pencas de una palma cercana. A lo lejos un sinsonte cantó claramente.

—Sabes una cosa, García. Tengo ganas de fumar. Daría mi brazo por un cigarro.

García se pasó el dorso de una mano por la barba crecida, y dijo:

—Yo lo que tengo ganas es de tumbarme esta barba. Cuando llegue al pueblo, me afeito. Tiene por lo menos tres días.

Hacía dos que huían. Dos días completos y un atardecer, una tarde en que el rojo de la puesta de sol se unió al rojo que subía desde las llamas de las cañas al quedarse desde el cañaveral ardiendo por cuatro puntos a la vez. Hacía dos días y un atardecer que huían, perseguidos por incendiarios.

—Daría todo lo que tengo por un cigarro. Uno solamente que viniera así, a la mano. Fósforos hay — y se palpó el bolsillo de la sucia camisa, llena de polvo y sangre, todavía con trazas de cenizas.

—Eso es lo que sobra.

Porque de La Habana había venido una orden terminante: *Hay que quemar la caña.* Así. Sólo esas cinco palabras. Era estúpido, pero era una orden. Vino en secreto, pero igual hubiera sido que la enviaran por radio o que antes la enseñasen a los amos del ingenio o presentado al cuartel de la rural, porque el Secretario General, allá en La Habana, lo gritó a todo lo que daba su voz de mitin, como para que fuese oído en el último central de la República, y se encargó de que todos los medios de difusión lo regasen de punta a cabo de la Isla. Hasta en el Palacio Presidencial, rodeado de periodistas, a sólo una pared del Presidente, lo gritó: «Si no hay aumento, voy a quemar la caña. ¡Convertiré a Cuba en una antorcha!».

Por supuesto que él no hizo nada. Con la boca se podía quemar toda la Isla desde la capital. Ni sentiría el calor en su Cadillac con aire acondicionado. Del auto refrigerado al cuarto refrigerado, cómodamente tumbado en la cama con una botella de coñac empezada, a un lado y una mujer sin comenzar, al otro; con el pequeño y costoso radio a media voz, esperando las noticias, mientras una negra de voz pastosa cantaba unos boleros dulces y pegajosos que daban ganas de llorar.

En el ingenio era otra cosa, cuando llegó la orden ellos ni preguntaron por qué; sólo pidieron la fecha. «El 3», les dijeron. Ese día la pequeña isla de caña que era el central dentro de la gran isla de caña que era toda la isla, ardió de punta a cabo. A quienes tocó en suerte prender el fuego, eran dos hombres que trabajaban en el ingenio; se llamaban Severino García y José Gover, pero todo el mundo los conocía por García y Cheo, simplemente. Y todo el mundo del central conocía que ellos eran quienes tenían que hacer la candela. Incluso la rural. Ellos y los dueños, antes que nadie. Pero los dejaron jugar su juego de candelitas como deja el gato jugar al ratón su juego del ratón y el gato. Lo único que falló en este ajedrez de los soldados por peones y la caña como reina fue la serenidad de un guardia, que empezó antes de tiempo y por su cuenta. La mirilla oscilaba sobre el cañón y la bala fue a pegar casi dos metros más abajo, en la larga pierna del que llamaban Cheo.

—Sabes una cosa, García. Que ya no me duele. Mira ver.

El hombrecito miró por encima de sus pequeñas rodillas y aún por encima de las enormes rodillas del hombrón. Abajo, la pierna estaba negra del balazo hacia el pie y de ahí hasta la rótula, se veía ya la mancha violácea que antes cubría sólo el tobillo, extendiéndose como la sombra de una nube sobre la tierra soleada.

—Parece que va mejor.

Así, siempre con estas palabras en la boca, García

había cargado con Cheo durante dos días y pico. Hoy hacía tres días del día tres.

—¿Cuántos?

—Casi tres días, Cheo.

Por las tierras desoladas y cubiertas de un polvo suelto que se levantaba como humo al caminar, por la soleada sabana, sin un árbol a la vista, excepto las flechudas palmas canas y la innumerable, incesante marea del espartillo, moviéndose con el aire, cambiante bajo el sol, pajiza sobre la tierra pajiza, dando tumbos el hombre pequeñito con el hombre grande a cuestas, su cuerpo inerte pesando en su lívida espalda, en busca del dagame desde donde se puede ver el arroyo, tratando de llegar hasta allí para que la vista del agua les diese fuerzas para llegar hasta allá: allá es donde quiera, un lugar seguro, el inútil escape.

—Sabes una cosa, García. Tengo sed.

—Yo también.

—Ve al río y traime.

—Vamos los dos.

—No, no, ve tú, que yo no puedo.

—Haz un esfuerzo. Yo te ayudo a llegar — el hombrecito se levantó, para inclinarse de nuevo, esta vez hacia el hombre alto, agazapado sobre su cuerpo y el dolor que ya no sentía.

—No, no, García, no puedo moverme. Ve tú.

—Un último esfuerzo. Cheo, por Dios.

—Yo ya me quedo aquí. García. Ve y traime. Ve y vuelve antes que llegue ella — dijo ella sin apenas darle importancia a la palabra, porque hacía rato que se había acostumbrado a la idea de morir como al dolor o al sol que ahora no sentía.

«¿En qué?», iba García a preguntar. Pero pensó que para qué le iba a torturar con la idea de que vendría sin el agua. Quizá allí encontraría una lata vieja o un coco vacío, o cuando regresara ya él... «No, eso no...»

—¿No qué cosa?

—Nada, nada... Que ellos no van a venir mientras... Pérate.

García gateó casi la loma, hasta el dagame, y observó atentamente la sabana. Como la otra vez. Sólo la llanura, desierta, sin nadie. El sol bajaba.

—Sin problemas. Vuelvo volando. No te vayas... («No debía haber dicho eso. Soy un imbécil», pensó casi encima de su voz.)

—No te ocupes, que no me voy a mover de aquí. Si no te espero yo, te espera mi cuerpo.

García hizo al otro hombre una mueca de disgusto y reproche, en broma. Y se alejó.

—Esa agua debe estar fresca de verdad — pensó Cheo en voz alta.

El aire trepidó, resonó y por último quedó vibrando entre las hojas de la palma yarey. El polvo se arremolinó alrededor de su cuerpo tumbado, inerte sobre la tierra, indefenso contra la destrucción y contra la muerte y contra la propia tierra.

El río era ancho. El más grande que hubiese visto nunca. El río de sobra conocido era un río nuevo para él. El agua se veía clara; parecía fresca. Estaba casi fría. Dejó que el agua mansamente mojara sus pies, y una sensación de agrado y frialdad resbaló por su piel tostada por el sol, cubierta del polvo del camino. Ahora sentía los pies frescos y limpios, y el agua remontó su pierna hasta la herida: el hueso quedó lavado y el borde costroso de la herida, como el festón de un ojal, se desprendió y cayó al agua, que lo arrastró lejos, fuera de su vista: el hueco tornó a su color rosado y el hueso blanco, pulido, como nuevo, regresó a su sitio dócilmente sin dolor.

Se sentó en la orilla, desnudo, y luego se tumbó de espaldas, sobre la arena. El agua subía por encima de sus rodillas. Ahora la sentía ya en la cadera, fría, agradable; como el agua helada que sacaría de su refrigerador en las noches de verano, tan fría que haría sudar el vaso y él se pasaría el vaso sudado por la cara y después tomaría el agua fría, poco a poco para sentir el sabor enfriando su garganta. El agua bajaba por el gaznate y el esófago y más abajo, hasta el estómago y hasta la pierna y hasta la herida.

El río llegó a su cabeza, dejó de subir, y de nuevo volvió a retirarse. Una fresca, dulce resaca, lo arrastró dentro de sí mismo y sintió cómo se escapaba, suavemente, con las aguas claras, por la hendija de su herida.

El hombrecito distinguió el yareyal y la profusión de higueretas que marcaban la ribera. «Setisemia segura», pensó y corrió, apresurándose hasta el río. Cuando llegó no vio más que una zanja, llena de lodo, no de fango, sino de un barro endurecido, seco y pajizo como el espartillo y como toda la sabana.

—No puede ser — dijo y se acercó para asegurarse.

Alguna vez había habido allí un río — ni siquiera eso: un arroyo, una cuneta abierta en la tierra para dejar correr la lluvia — pero ahora era una cañada seca, con el fondo cubierto de una tierra endurecida por el sol y el aire, más árida que toda la llanura. Se agachó y tomó en sus manos un terrón, duro como una piedra y al levantarse, lo arrojó lejos.

—Cómo le digo yo esto a este hombre.

Miró hacia donde había venido y se fue de vuelta, casi lloroso.

Antes de llegar, vio el dagame sobre la loma y notó la quietud del paisaje alrededor del árbol. Apretó el paso y a poco vio al hombre, tirado sobre la tierra. Estaba igual que lo dejara, pero había algo inestable en la absurda postura de aquel hombre enorme, ahora más grande todavía, acostado, inmóvil en la tierra. Comprendió que no tendría que decir nada. Aún antes de ver su cara supo cómo estarían sus grandes ojos amarillos, pero nunca pensó que tendría la boca abierta.

Se sentó a su lado como al principio. En silencio. «Voy a cerrarle los ojos», pensó. «No, así parece que está todavía vivo.»

Por algún lado del cielo el sol se estaba poniendo y la tarde se colmó de la serenidad del crepúsculo. No muy lejos una torcaza arrulló y el ulular llegó hasta sus oídos.

El aire vibró sobre las hojas del yarey y zumbó entre el tupido ramaje de los marabúes. La paloma volvió a cantar y a lo lejos otra respondió. ¿O era el eco? El repetido traqueteo del vuelo del ave se inició junto a la loma, quizá bajo el dagame, y cruzó por encima de él. No la vio pasar. El viento de nuevo silbó en la palma y levantó el polvo en torno al hombre tumbado y movió su pelo pajizo.

Uno de los marineros sublevados convirtió su camisa en bandera y la agitaba por una ventana, en señal de tregua. Acordaron rendirse si se les respetaba la vida y se les juzgaba en consejo de guerra. Pero cuando salieron fueron muertos, todos, por tres ametralladoras calibre 50 que disparaban desde el parque.

Luego los cadáveres de los cien marineros y de los civiles fueron enterrados en una larga fosa común.

Trajeron dos buldozers y las pusieron a cavar una zanja. Desde lejos, hubiera parecido la perentoria actividad de una carretera en construcción. Las buldozers hicieron un hoyo de cincuenta metros de largo por seis de ancho y tres de profundidad. Al acabar, los camiones de volteo echaron los cadáveres en el hoyo. Algunos cuerpos caían fuera y entonces los soldados los agarraban por las piernas y los tiraban dentro; o simplemente, los empujaban con el pie. Cuando estuvieron todos en la trinchera, la máquina comenzó a palear la tierra hasta que cubrió los cadáveres. Finalmente, los camiones, las buldozers y una aplanadora que habían traído de una carretera en reparación rodaron sobre la tierra removida y la apisonaron. La operación había durado cinco horas, pero cuando terminaron, al amanecer, sólo quedó una mancha de tierra fresca en el solar yermo, como un costurón.

La revuelta que comenzó 48 horas antes había terminado.

JOSEFINA, ATIENDE A LOS SEÑORES

Bueno, la cosa es que cuando uno tiene una casa no puede dejarse pasar la mota, porque ya se sabe que camalión que no muerde. Porque, mire, por ejemplo, esa muchacha Josefina. Es de lo mejorsito. Limpia, asiadita, no arma bronca nunca y vive aquí, con lo que uno la tiene siempre a mano, y nunca anda regatiando que si le ha quedado poco, que si el tanto por siento de la casa, que si es mucho que si esto que si lo otro y lo de más allá. Por ese lado no tiene un defegtico. Bueno, pero sin embargo, no hay quien la haga moverse de la cama. Mire que yo le digo: Josefina, has esto, Josefina, has lo otro. Josefina, esta niña, muévete. Sé más viva. Pues ni con eso. Y le ando atrás todo el bendito día. Porque a deligente sí que no me gana nadie. Si no, ¿cómo cre usté que yo hubiera llegado a montar este localsito? No crea que me he ganado esto con el sudor de mi sintura nada más. Qué va. De eso nada. A fuersa de espabilarme y de trabajar muy pero muy duro. Y no sólo orisontal. Porque, el difunto, que en pas descanse, no me dejó más que deudas. Y ya usté sabe lo que era esto: yo aquí, una mujer sola para atenderlo todo y llevarlo alante. Pero yo ni dormía. (Bueno, igualito que ahora.) A las cuatro o las sinco cuando se iba el último cliente, yo cogía y me ponía a contar el dinero y a repartir lo de cada una (porque eso sí: a repartir parejo lo que con justisia le toca a cada una, no hay quien me gane). Pues después que repartía el dinero, levantaba al chiquito que me limpia y lo hasía ponerse a trabajar a esa hora. Bueno y para no cansarlo, me acostaba dos o tres horas nada más y a las ocho ya estaba yo despertando a las muchachas que tienen el turno de por la mañana para que se arreglaran y resibieran limpias y compuestas a los clientes mañaneros. Porque usté sabe que hay gente que tienen sus manías y vienen por aquí al ser de día para coger a las muchachas frescas y descansadas, y otros para evitar lo de las enfermedades. Vea, ¡como si una noche pudiera borrar las cruses! Pero bueno, hijo, hay que complaserlos a todos — porque eso sí: si una fama tengo yo es la de ser complasiente, porque para mí siempre el cliente, como es el que paga, tiene la rasón y no porque éste sea un negosio de andar en cueros, yo vaya a pensar que no hay que darle a cada uno lo que pida. Bueno, pero para no cansarlo, le diré... ¿por dónde iba yo? Ah sí.

Pues mire usté, después de las ocho ya no paraba yo: vayà a la plasa a haser los mandados, cáigale arriba a la cosinera, después de comer, a resibir a las que duermen fuera y ponerlas pronto a trabajar (porque usté sabe que si una fama tiene mi casa es la de tener siempre muchachas a disposición del que venga: a cualquier hora del día que venga, hasta las dos o las tres de la madrugada), bueno, pues después de eso, me pongo a sacar lo que hayan ganado las vitrolas de los tres pisos, reviso cómo anda el baresito y mando al chiquito a la bodega, si hase falta cualquier bobería, y luego como ya es hora de la comida, pues a comer; y al acabar ya es de noche y bueno, para no cansarlo, que ya es la hora de empesar el ajetreo de a verdá verdá. Bueno, pues en todo ese tiempo ¿qué cre que ha estado hasiendo Josefina? ¡Dormiendo! Yo la he dejado porque ella lo único que pide es que la dejen dormir y ni siquiera anda peliando por la comida, que si es poco que si es mala, como algunas que yo conosco, y claro, yo la dejo dormir porque tengo que tenerla contenta; porque ella es muy solisitada por la clientela buena, pero rialmente esa muchacha es un dolor de cabesa contante. Yo comprendo que ella tiene proglemias de a verdá, pero ¡por favor! Quién no los tiene. Bueno, y usté me ve a mí detrás de ella: Josefina, vieja, baja que te buscan. Esta niña, ¿por qué no estás en el resibidor, atendiendo a la gente y no aquí tirada en la cama? Pues ella ni caso que me hase y entonses no me queda más remedio que mandar a buscar a Bebo, su marido, y únicamente así es cómo ella se levanta, se arregla y está dispuesta a trabajar. Yo creo que ella no se da cuenta de cómo la trato, con qué considerasión. Porque bueno, vamos a ver: si ella estuviera en uno de esos guachinches de entra que te conviene, y no en una casa como ésta, de las grandes, respetada, autorisada por la polisía y sin un proglemia nunca, donde no se arresiben menores y hay que tocar para entrar y no entra todo el que quiere; ¡y en la calle que está! Porque usté sabe que eso de tener una calle seria no lo consigue todo el mundo. Pero bueno, para no cansarlo, voy a terminar de contarle lo de Josefina.

Claro que ella no se llama Josefina. Ése es el nombre para el negosio, pero todo el mundo cre que es el de a verdá, y yo creo que le conviene esa crensia. Yo no voy a cogerme las glorias de habérselo puesto. Fue ella misma la que lo escogió, porque no le gustaban nada los de siempre, de Berta, de Siomara, de Margó, y los demás. Así que se quedó Josefina. Claro que tampoco es de por aquí. Es de Pinar. Ella vino de allá a trabajar en una casa particular, por Almendares. Y aunque ganaba poco, estaba contenta porque le daban cuarto y comida y sus ventisinco. Y entonse llegó este Bebo (que tampoco se llama Bebo), que entonse tenía uniforme. Y la enamoró y a la semana se metía en su cuarto de ensima del garaje. Y ya usté se puede imaginar el resto. Bueno, total: que él dejó de ser soldado y ella dejó de ser criada. Ella al prinsipio se resistió y cuando me la trajieron aquí la primera ves, mordía. No hablaba con nadie. Hasta trató de matarse. ¿Usté no ha visto las marcas que tiene en la muñeca? Pero se acostumbró, como se acostumbra uno a todo. Yo al prinsipio era igual y ya ve usté. Ahora, que yo después de todo he tenido suerte. Ella no.

Ella se le fue a Bebo un día con un chulo medio alocado, bien paresido él, Cheo, que vino de Caimanera: un verdadero pico de oro. Figúrese que le disen Cheo Labia. Pues no duró mucho. Entonse fue cuando ella se metió en aquello de las carrosas de carnaval y usté recuerda lo del fuego. Bueno, total: que tuvieron que cortarle el braso y el otro la dejó. Entonse yo por pena la fui a visitar al hospital y al salir fue ella la que me pidió que la trajiera de nuevo. Luego volvió con Bebo. Y para que vea usté lo que es la gente, en vez de perjudicarla lo del braso, la benefisió. Y con su defegto y todo, es la que más hase. Porque oiga, hay gente para todo. Dígamelo a mí que a lo largo de mi carrera me he topado con cada uno. Conosí un tipo que no quería acostarse más que con mujeres con barriga y siempre andaba cayéndole atrás a las en estado. Había otro tipo que se privaba por las cojas ¡y cómo las pagaba! Podrá crer que ese tipo no las quería para acostarse, sino que las desnudaba a las pobres y se ponía acarisiarle la pierna mala, hasta que le ocurría y se iba, sin haberse quitado ni el sombrero. Y allá en Caimanera conosí un yoni, marinero él, que no quería más que biscas. Decía *cokay, cokay*, y de ahí no había quien lo sacara. ¡Hay cada uno!

Bueno para no cansarlo, esta muchachita, Josefina (porque como usté habrá visto es linda sin cuento), se volvió la perla de mi casa. Y es claro, en esas condisiones hay que complaserla y por eso es que yo la tengo como la tengo, que le doy lo que pida. Si no.

¿Esigente? ¿Ella? Si no pide ni agua. Ahora que

desde que volvió, despué§ del susedido, tengo que guardarle de su parte para que se compre pastillas pa dormir. Sin que se entere Bebo, claro. Porque parese que ella se acostumbró en el hospital, pa dormir y aguantar los dolores y eso, pienso yo, a tomar esas pílduras y ahora no hay quien se las quite. Entonse es cuando único molesta, cuando le falta su *sedonal* y no viene rápido el chiquito de la botica con el mandado. Oiga y que eso es como la mariguana y la cocaína. Un visio. Yo digo que con visios sí que no se puede ni trabajar ni vivir tampoco. Porque, diga, bastante tiene uno ya con estar esclavisada a un hombre para que también tenga que estar gobernada por unos frijolitos de esos. Pero bueno, ése es su único alivio y como a mí no me cuesta ni dinero ni trabajo guardarle su parte y encargarle con el chiquito las pílduras, pues lo hago. Ahora que es una lástima: una niña tan bonita como ella. Porque eso sí: ella es un cromo. Un cromito. Pero bueno, resinnasión. Ella nasió con mala pata. Primero lo del camión y ahora lo del niño, no es jarana. Porque eso último sí que no lo quiero ni pa mi peor enemigo. Porque hay que ver cómo se esperansa uno con una barriga. Ya cre usté que va a salir de todos los apuros y que el hombre se va a regenerar y a portarse como persona desente de ahí palante. Aunque luego uno se disilusione, como me pasó a mí. Aunque a Dios grasias, mi hija me salió buena. Está mucho mejor que yo. Porque oiga, ahí en Panamá está ganando lo que quiere y es la envidia de todas las que hasen el Canal: desde negras jamaiquinas hasta fransesas. Bueno, para no cansarlo, como le iba disiendo: eso del niño sí que fue un jaquimaso. Porque perder un braso, bueno todavía queda otro para acarisiar y si no, la boca: mientras no se pierda lo que está entre las piernas. Pero ella pasó una. Las de Caíñas, sí señor. Ella que como le dije estaba tan esperansada y va, y la criatura le nase muertesita. Ahora

74

mejor así: porque era un femómemo, un verdadero mostro. Oiga, un femómemo completo. Hasta podía haberlo enseñado en un sirco, que Dios me perdone. Es claro eso la acabó de arrebatar. Estaba como boba, hubo días que ni salió del cuarto. Pero bueno se le pasó. Es claro, que si no hubiera sío por las pastillas. Usté ve, ahí sí que la ayudaron mucho.

Bueno, para no cansarlo: que si esa muchacha no estuviera conmigo que soy considerada y hasta me he encariñado con ella, la pasaría muy mal, porque yo sí que no la molesto y con tal que ella me cumpla. Porque si algo tengo yo es que soy comprensible, yo entiendo los proglemias de cada cual y repeto el dolor ajeno, claro mientras no me afette. Ni a mí ni a mi negosio. Porque como disen los americanos bisne si es bisne. Pero esa muchacha Josefina, como le he contado, le tengo afegto de madre de a verdá. Sin motivo, porque mi hija es mucho más joven (y así y todo quién va a desir que yo tenga ya una hija de vente años, eh), es más joven y es más bonita; además que mi hija tiene su apreparasión. Porque eso sí: yo siempre me dije... Usté perdone, con permiso, me va a disculpar un momentico porque por ahí entra el Senador con su gente, siempre bien acompañado el Senador. Quiay Senador. Cómo le va. Enseguida estoy con usté. (Aquí entrenós: el Senador está metido con Josefina, dise que no hay quien se mueva como ella, además dise que ese mocho de braso lo ersita como ninguna cosa; me dise el Senador: Esa manquita tuya vale un tesoro, cará, dise. Si no fuera tan dormilona, dise. Ahora que hasta dormida se mueve, dise. Se mueve. Es una anguila la chiquita, dise él. ¡Ese Senador es el demonio!) Bueno perdóneme. Que tengo que llamar a esa muchacha antes que el Senador se me impasiente. ¡Josefina! ¡Josefina!

Josefina, atiende a los señores.

La vieja negra subió despacio las escaleras del edificio grotesco que parecía un castillo de cartón piedra. A su paso se cruzó un policía con una ametralladora al pecho, las manos apretadas sobre el arma. Cuando dijo a qué venía, eslabonó ante ella una cadena de órdenes; luego la dejaron pasar y la hicieron sentar en

un banco de madera, a un lado, cerca de la puerta. Estuvo allí sentada en silencio una hora. Más tarde vino un teniente y un cabo le comunicó a un policía que la vieja podía pasar ahora a ver a su hijo. Caminó junto al policía hasta una celda del fondo, apenas alumbrada. Le costó trabajo distinguir a su hijo al principio. Vio que pegaba su cabeza a la pared y que tenía una rodilla apoyada en el banco, que era la única pieza del calabozo. Lo llamó. Él no pareció oírla. Volvió a llamarlo y después de un instante, él movió la cabeza, pero no hacia ella: simplemente un leve movimiento hacia los lados. Cuando lo llamó por tercera vez el hombre vino hasta las rejas. La madre vio que su hijo no era su hijo: estaba muy hinchado, tenía un ojo cerrado, machacado, y la camisa manchada de sangre. Pero ninguno de los dos dijo nada. Ella sacó de un pañuelo tres arrugados billetes de a peso, y los pasó al hijo. El hombre los tomó después de mirarlos extrañado y oyó que ella le recomendaba que se comprara algo de comer, que no debía haber comido.

No pudo contenerse más y le preguntó, en voz baja, qué le habían hecho.

Él no dijo nada.

Ella volvió a preguntarle.

Él no dijo nada y cuando trató de hablarle, de explicarle, sintió el dolor y no dijo nada. Sólo apretó los billetes en su mano y acto seguido los rompió en pedacitos. Finalmente, supo que podía hablar.

—Vieja, me metieron una cabilla al rojo por el ano.

La madre no comprendió al principio. Cuando apretó los dedos en torno al barrote abrió la boca, porque sabía que iba a gritar y no quería gritar. El hijo volvió a hablar, con su voz absurdamente intacta que apenas podía pasar por los labios aporreados.

—Vieja, me metieron la cabilla ardiendo y lo van a volver haser y no lo voy aguantar, vieja.

Volvió a sentir las ganas de gritar, pero no gritó, y cuando el policía regresó y le dijo que tenía que marcharse, que ya era hora, se dejó llevar sin decir palabra. El hijo extendió la mano y le tocó un brazo.

Esa fue la última vez que lo vio. Por la noche lo volvieron a interrogar y entre los golpes y la falta de sueño y la luz cegadora, supo que iban a calentarlo de nuevo. De alguna manera logró soltarse y correr hacia una ametralladora. Pero no llegó a disparar. No oyó el traqueteo atropellado de la ametralladora ni sintió las balas penetrando en su cuerpo, pero sus piernas se aflojaron y cuando cayó tenía los dedos clavados en el vientre.

UN NIDO DE GORRIONES EN UN TOLDO

Al lado de casa viven dos viejitos y tienen un toldo verde pendiendo sobre la terraza. El toldo está recogido. Nunca lo bajan. Sólo una o dos veces los he visto salir al balcón. Son dos ancianos pequeños, encogidos y sobre todo, callados. No se les ve salir más que a coger el sol. Eso, los dos o tres días al año en que hace verdadero frío como para sentir necesidad de calentarse. Si no me equivoco, son americanos, aunque jamás les oí hablar.

Un día mi mujer me advirtió que dos gorriones habían hecho nido en el toldo.

—Mira — me dijo —. Uno siempre se queda cuidando el nido cuando el otro va a buscar pajitas.

—Ésa es la hembra.

—¿Cómo lo sabes?

—Porque es la más fea.

—¿De veras? — dijo y me miró suspicazmente.

En una bolsa formada por el toldo mal recogido, un gorrión pequeño y gordo miraba con curiosidad cómo su compañero trataba de entrar en el hueco con su boca llena de yerbas secas.

—Debíamos decírselo a la gente de al lado — propuse —. No sea que bajen el toldo y se caigan los huevos y se rompan.

Mi mujer me miró como se mira a un animal raro: el hombre más tierno del mundo.

—Podrían hasta tener los pichoncitos — dijo ella con un franco sentido maternal humano — y caerse cuando todavía no puedan volar.

Y agregó tan coactiva como todas las mujeres:

—¿Por qué no vas y se lo dices?

—Deja ver.

Igualmente podría haber dicho «El próximo siglo» porque cambió radicalmente su cara y me conminó.

—Debes ir ahora.

—Ahora no puedo, mi amor. Quiero terminar de leer este libro.

La antigua admiración se extinguió totalmente.

—¿De manera que terminar un libro es más urgente que salvar la vida de unos pobres pajaritos?

—Pero mi vida, ¡si no han acabado el nido siquiera!

Su tono era cada vez más perentorio.

—¿Qué quieres entonces, esperar a que estén los huevos en el aire para correr a decírselo?

Ella había ganado.

—Bueno, tan pronto termine la página voy.

Pero cuando me levanté para ir, ya había cambiado de idea.

—Mira, creo que mejor lo dejas para mañana. Ya es un poco tarde y de todas maneras ellos no han bajado nunca el toldo.

—Está bien, viejita. Mañana cuando venga del trabajo llegaré a decírselo.

—Bueno, pero no lo dejes para pasado.

Al otro día por la tarde, cuando regresaba del trabajo decidí llegarme a decirles a los viejos lo del nido. Eran poco más de las cinco y la tarde estaba agradable. El edificio donde vivo es una amplia casa de apartamientos con un patio central, en medio del que hay una areca alta y exuberante. Todo aparecía rosáceo por el sol poniente y soplaba un aire fresco y ligero, que suavizaba la tarde de inicios del verano.

Después de tocar el timbre dos veces, salió a la puerta una muchachita pecosa y rubianca. ¿Qué edad tendría? Estaba vestida con una holgada bata a rayas amarillas y rojas y atada a la cintura por un cordón amarillo

81

vivo, y llevaba sandalias. El pelo le caía en una onda extendida, acortando la frente ancha y un poco abombada. No era bella, pero tenía un atrayente aspecto de ingenua americana. No me pareció una criada.

—¿Están los de la casa?

—*Sorry. No Spanish.*

Ella no hablaba español y mi inglés era demasiado nervioso e inseguro para explicarle con claridad. Comprendí que sería muy difícil entendernos.

—*The old ones, are they at home?*

—*Ouh*, usted quiere decir Abuela y Abuelo — me dijo en inglés —. No, salieron. No vendrán hasta la cena.

Tenía una voz que no parecía salir de ella. Hablaba rápido y apagaba las palabras finales, por lo que apenas la entendía.

—*Well, it's about the sparrows.*

Se rió brevemente y me contestó:

—Esas son noticias para mí. No sabía que mis abuelos se dedicaran a criar gorriones.

No la creí capaz de burlas. Me di cuenta que estaba completamente amoscado y decidí contarle lo del nido y lo del toldo para salir del apuro. Le hablé de *mi* interés en que no fueran a detruirlo por no saberlo. Sin advertirlo, me encontré con que había dejado a mi mujer fuera del cuento y que ni siquiera mencioné que estaba casado y vivía al lado.

—¿No quiere pasar? Se lo diré a Abuelo y Abuela cuando lleguen. Ahora quiero que usted me enseñe dónde está el nido.

Entré. El apartamiento estaba arreglado con menos lujo del que imaginé, pero se veía cómodo. La cocina estaba dispuesta de manera diferente a la nuestra y la sala era más espaciosa. Cuando salimos a la terraza el sol enrojecía la fachada de los edificios vecinos. Las persianas que dan a mi balcón estaban cerradas.

En el toldo, los gorriones parecían afanarse en terminar el nido antes de la puesta de sol. Uno de ellos regresaba con una paja larga y curvada que no podía hacer entrar por el bolsón. Aleteaba un poco, trataba de sostenerse en el orillo del toldo con las paticas y empujaba la pajuela que se doblaba aún más, pero no entraba por la boca del nido. Algo no funcionaba y el gorrión estaba perplejo. En ese momento la gorriona asomó su cabeza por la boca del nido y trató de salir. Finalmente, el macho se cansó y dejó caer la espiga. Luego entró en el nido y volvió a salir —¿o fue la hembra?—, volando hasta perderse tras los edificios del fondo.

—*That's cute* —dijo la muchacha y rió. Tenía una risa directa y vehemente. Sin embargo, apenas si movía el cuerpo al reírse.

En el balcón comenzaba a hacer fresco. El mediodía había estado caluroso, pero ahora el insistente aire que venía del parque refrescaba la pequeña terraza. El sol sólo alcanzaba a alumbrar los pisos altos de las casas de enfrente. Entramos.

—¿No quiere sentarse?

Acepté la invitación demasiado rápidamente y me senté en una pequeña banqueta recostada contra el marco del ventanal. Ella iba a dirigirse hacia la sala, pero al verme se sonrió, dio media vuelta, ya bajo el dintel de la puerta que daba a la sala, y vino a sentarse en el borde de la cama. Fue entonces que me di cuenta de mi error. No me atreví a reparar la equivocación.

—¿Cuál es su nombre? — hice la pregunta como si hubiera dicho *Tom is a boy*.

—Jill. ¿Y el tuyo?

—Silvestre.

—Es un nombre gracioso. Quiero decir, que me gusta mucho. Creo que nunca podré pronunciarlo, pero me gusta cómo lo dices tú.

—Claro que puedes.

—No, no puedo.

—Prueba. No tienes más que poner todas las es como en *better*, todas parejas.

—Nunca podré.

—Prueba aunque sea una vez.

Ella trató de pronunciar mi nombre y dijo algo irreconocible, que se parecía lejanamente a la frase «fuente de plata» en inglés.

—*No, not silver-tray*. Ni soy fuente ni soy de plata.

Nos reímos los dos.

—¿Ves? Nunca lograré hacerlo bien. Pero me gusta cómo lo dices. Dilo de nuevo.

—Silvestre.

—Dilo.

—Silvestre.

—Dilo. Dilo. *Dilo*.

Se arrojó hacia atrás en la cama, riendo. Podía ver sus dientes torcidos y blancos y protegidos por un alambre corrector. No me gustaba su risa. Pensé que necesitaba un alambre corrector en la risa también. Cuando terminó de reírse, quedó acostada boca arriba. El vestido se había subido un poco por encima de la rodilla y podía verle el nacimiento de los muslos. Durante unos minutos no dijimos nada.

—Jill, tu nombre también es gracioso — dije para romper el silencio y mi voz sonó hueca. Me callé de nuevo.

Al cabo de un rato dijo.

—No hay *nada* gracioso en mí. Ni siquiera el nombre. Es tonto, incongruente, pero no gracioso.

El nuevo silencio duró más que ninguno. Sabíamos que cualquiera que dijese otra palabra diría la más inapropiada de las palabras. Volvió a sentarse. Estaba seria. Estaba muy seria. Se mantuvo quieta, pero su mantenida seriedad tenía algo muy dinámico por debajo: su silencio era como una presa conteniendo un río crecido. Por un momento creí que la próxima palabra la iba a decir ella y que sería una mala palabra. ¿La entendería? Yo sé casi todas las malas palabras que dicen los hombres en inglés, pero no las que dicen las mujeres. Sin embargo, se limitó a mirarme fijamente. Noté que sus ojos no estaban molestos. Era su boca torcida la enfadada. Pero aunque sus ojos no estaban furiosos, en el fondo tenían también algo torcido.

Se puso en pie y se desató el trenzado cordón de tela que le servía de cinturón. El vestido se hizo más amplio y me di cuenta que era uno de esos sayones convertibles que un cinturón hace cambiar de forma. Ahora era una mujer. Estaba de pie, descalza y las piernas se veían fuertes, plantadas con decisión sobre los mosaicos jaspeados. Por primera vez dejé de pensar en su edad.

—Me gusta tu pelo — dijo —. Siempre me ha gustado el pelo muy negro. Me gustan las cosas negras.

Se acercó a mí y me pasó una mano por el pelo. Súbitamente, se agachó y me besó. Besaba rudamente y sentía el alambre apretarse contra mis labios, después contra mis dientes y mi lengua.

La sujeté firmemente por la cintura con un brazo y traté de acariciarle los senos, pero ella me apartó la mano.

—Don't! Oh, don't!

Había hablado a través de mis labios y en su voz no había enojo, sólo firmeza.

Finalmente, dejó de besarme y se quedó frente a mí, de pie. Antes de que yo comprobara con mi mano si tenía los labios pintados, sentí un golpe chasqueante en mi cara y un calor me sofocó la cabeza. Cuando me di cuenta que me abofeteaba, ya lo había hecho dos o tres veces. Tenía ambas mejillas ardiendo y una lágrima saltó de mi ojo derecho.

85

—¿De manera que es eso? — gritó.

Y salió furiosa del cuarto. Lo último que vi de ella fueron sus piernas. «Tiene piernas de pelotari», pensé. Me quedé allí sentado sin saber si levantarme o quedarme sentado o desaparecer.

Al poco tiempo oí unos sollozos y traté de escuchar de dónde venían. Alguien lloraba en la otra habitación. Me levanté y fui hasta la sala y hallé a Jill sentada, con los brazos sobre la mesa y la cabeza entre ellos. Sus hombros se movían temblorosamente. Sentí pena por ella y olvidé las bofetadas. ¿O las olvidé porque pensaba continuar los besos? Toqué uno de sus hombros temblorosos.

—Déjame sola — me dijo y no sé por qué recordé a Greta Garbo.

—No llores, por favor.

De la mesa vino un sonido entre sollozo contenido y carcajada.

—¿De manera que tú creías que yo lloraba?

Alzó la cabeza y se rió con una risa gutural, malsana.

—¿Creías que estaba llorando? ¡Es la cosa más cómica que he oído en un día cargado de cosas cómicas! Se levantó y acercó su cara a la mía para que viera que no lloraba.

—¿Llorando yo? ¿Por ti?

Y se rió todavía más fuerte.

—¡Idiota!

Se movió hacia la puerta y agarró el pomo entre sus manos, pero en vez de abrirla recostó la cabeza contra la hoja. Ahora sí estaba llorando de veras. Lloraba calladamente y sin embargo temí que al otro lado de la puerta pudiera oírla todo el vecindario.

—*You fool. Fool, fool.*

Fui hasta ella y le puse una mano en la cabeza. Su pelo era vigoroso pero suave. Dejó de llorar y no vol-

vió a mirarme. Al cabo de un rato, hizo girar el pomo
y abrió la puerta. Yo traté de cerrarla de nuevo, pero
ella insistió con un tirón a la vez leve y decidido.

—¿Nos volveremos a ver?

Fue entonces que me miró por última vez.

—No, me voy mañana. Temprano en la mañana.

Abrió la puerta toda y yo salí. La miré detenidamente y comprendí que lloraría otro rato más.

—Hasta luego.

—*Good-bye, Silver-tray.*

Dos o tres días después yo estaba leyendo un nuevo libro en el balcón. Había tratado de olvidarlo todo
y me di cuenta que me era más fácil que tratar de recordar. Cuando se cerró la puerta, permanecí frente a
ella durante un rato. La puerta tenía una tarjeta que
decía *Mr. & Mrs. Salinger.* En ese tiempo traté de tocar, no porque quisiera volver a verla, sino porque
quería convencerme de que aquello no había pasado,
de que lo había imaginado totalmente antes de llamar
y que nadie vendría a abrir la puerta, porque no había
nadie. La casa estaba vacía. Nada había sucedido. No
podía recordar ni su cara ni su voz. Jill no existía. Yo
no me llamaba Silvestre. Todo era mentira.

—Silvestre.

Era la voz de mi mujer hablando por detrás de mí,
las manos apoyadas en el balcón.

—¡Qué gente ésta!

—¿Cómo?

—¡Que mira que esta gente es!

—¿Qué gente?

—La de ahí al lado. Los viejos de al lado.

Levanté la vista del libro y miré hacia la terraza
vecina. Uno de los viejos — la vieja — bajaba el toldo
y los gorriones revoloteaban alrededor de la tela verde.

—Están bajando el toldo.

—Ya lo veo, amor.

Los huevecitos habían caído al suelo. Uno de ellos reventó contra el borde del muro de la terraza y quedó allí la mancha acuosa y amarilla. La viejita pareció tan asombrada como los gorriones y entró corriendo, temblando, llamando quedamente. «¡Ernest, Ernest!» El par de gorriones continuaba piando y revoloteando en derredor de los huevos rotos. La gorriona se posó junto a la yema derramada, la picoteó y comió un poco. Luego levantó una pajita húmeda de entre la clara y voló hasta donde estaba antes el nido. Trató de encontrar el hueco anterior y pegaba contra la tela desvaída del toldo verde. Pareció más confundida todavía y la paja cayó de su boca.

Mi mujer estaba realmente furiosa. Fue hasta el límite del balcón y miró hacia la terraza de al lado. Luego vino a donde estaba yo y descargó su furia en una sola pregunta:

—¿Pero y tú no les dijiste nada?

La miré y me quedé callado. ¿Cómo explicarle?

—Usté, vamo.
—¿Qué pasa?
—El salgento que lo quiere ver.
—¿Para qué?
—¡Cómo que pa qué! Vamo, vamo. Andando.

—Salgento, aquí etá éte.

—Está bien, retírate. ¿Qué, cómo anda esa barriga? Duele, ¿no verdá? Ah, pero te acostumbras, viejo. Dos o tres sacudiones más y nos dices todo lo que queremos.

—Yo no sé nada sargento. Se lo juro y usted lo sabe.

—No tiene que jurar, mi viejito. Nosotros te cremos. Nosotros sabemos que tú no tienes nada que ver con esta gente. Pero te he traído aquí para preguntarte otra cosa. Vamo ver: ¿tú sabes nadar?

—¿Qué?

—Que si sabes nadar, hombre. Nadar. Así.

—Bueno, sargento... yo...

—¿Sabes o no sabes?

—Sí.

—¿Mucho o poco?

—Regular.

—Bueno. Así me gusta, que sea modesto. Bueno, pues prepárate para una competencia. Ahora por la madrugá vamo coger una lancha y te vamo llevar mar afuera y te vamo echar al agua, a ver hasta dónde aguantas. Ya yo he hecho una apuestica con el cabo. No, hombre, no pongas esa cara. No te va pasar nada. Nada más que una mojá. Después nosotros aquí te esprimimos y te tendemos. ¿Qué te parece? Di algo, hombre, que no digan que tú eres un pendejo que le tienes miedo al agua. Bueno, ahora te vamo devolver a la celda. Pero recuerda: por la madrugá eh. ¡Cabo, llévate este gallina pal calabozo y ténmelo allá hasta que te avise! Oye: y va la apuesta.

MAR, MAR, ENEMIGO

En oleadas sucesivas, como una continuación de las olas formadas en el mar, le llegó la brisa, fresca, húmeda, evanescente, y con ella vino el rumor del mar y el picante olor a salitre: todo le llegaba del mar, hasta la espera. Y ella odiaba al mar, porque sabía que le era hostil. *El mar debe ser una mujer,* pensó.

—Sólo una mujer puede ser tan dura con las mujeres y tan blanda con los hombres — dijo y recordó que alguien dijo que al mar debía llamársele la mar porque también lo afectaba la luna; no podía recordar quién lo dijo: — Pero debe ser una mujer — dijo.

Más que nada lo odiaba por la misma razón que se maldice al cartero que pasa de largo: porque el mar era un medio de comunicación entre ella y él y ahora le negaba toda noticia. Él dijo: «Mira al mar. Míralo siempre y sabrás si vuelvo o no. Él te dirá», pero él no había contado con el mar, de donde el mar era un mensajero sin saberlo. Nadie contaba con él y todos querían que fuese el recadero perfecto. Se despachaban embarcaciones, se echaban botellas llenas de mensajes, se tendían cables, y todos querían que las noticias llegaran pronto y sin novedad y con precisión al punto de destino. Y ahora ese hombre, ese marino misterioso, envuelto en sombras, ocupado en raros trajines, que utilizaba el mar y la noche como cómplices, no decía más que «Mira al mar: él te dirá» y dejaba el resto (la improbabilidad, el error, la mala fortuna) al azar, y esta mujer odiaba al mar porque el mar, siempre sin saberlo, demoraba en decir que sí o que no.

Se recostaba a una de las delgadas varas de ocuje

que servían de columnas al soportal, parada allí, cuello y espalda envueltos en un rebozo negro, mirando a la distante y extensa llanura del mar, las blancas y móviles costras de espuma como algodoneros florecidos sembrados por error en un campo de espartillo iluminado por la luna, buscando con los ojos inútilmente el punto luminoso, la señal.

La mujer (que no es de ahí, que no vive en ese lugar, que ha llegado al atardecer en una camioneta, silenciosa como la noche) es todavía joven pero ya ha pasado los años de la primera juventud y guarda la serena belleza de la mujer que sabe que sus años de frenesí y ajetreo, los años para malgastar han pasado. Sabe que son los años de la sonrisa, no de la risa; los años del reverso, de las sombras, del eco: más que el tiempo de la guerra, el de la paz; el tiempo de la tregua con la vida. La mujer aunque ha nacido en el país, ha vivido tanto tiempo en el extranjero que hay que considerarla una extranjera. Habla y viste como extranjera, no una extranjera de un lugar determinado, sino de cualquier parte, o mejor: de ninguna parte.

La otra mujer (que tampoco es de ahí y que también ha llegado sin ruido, es tan silenciosa que su compañera a veces comienza a buscarla en su memoria, porque cree que la ha dejado olvidada en el camino o en el lugar de donde vino), porque hay otra mujer dentro de la casa, no es una mujer, sino algo remoto, y desvaído, algo de otra época y otra civilización enquistado en aquella casucha, ajena a lo que la rodea y sin embargo alerta: parece dormitar y siempre se la ve presente en todo, participando en el menor suceso con una prisa detenida, o más bien: disparándose lentamente, llegando siempre al objetivo en el momento preciso, pero haciendo ver como si desde el principio de la acción ésta sería inútil porque llegaría demasiado tarde. Era una india y se vestía como india: con un amplio sayo de una sarga de un gris indefinido, sus grandes y sucios pies calzados en unos huaraches estropeados por el uso y penetrados de ese molesto y repelente olor que despide el cuero mojado, y sus negros cabellos peinados en una trenza hasta la cadera. Era una india y se sentaba como las indias: acurrucada, su cuerpo recogido sobre sí mismo en un taburete ridículamente pequeño, que está arrumbado en uno de los rincones de la casa. Era una india y sabía (no era presentimiento sino conocimiento) que la espera era inútil. Era una india y parecía una india.

La casa, porque de alguna manera hay que llamarla, era un bohío. Menos que eso: una choza abandonada, construida de yaguas y con techo de guano y en la que el único detalle importante es ese portal de varas de ocuje (¿traídas desde lejos, por un raro capricho del constructor, o encontradas en la playa, varadas, como náufragos?) que da al mar: un lujo inútil en aquella región y que le confiere la inquietante apariencia de una casa de playa construida por indigentes, quizá el hogar de carboneros de la Ciénaga o la cabaña de un pescador, y no tiene más que una espaciosa habitación de piso de tierra y sin ventanas, con una puerta al frente y otra detrás, las dos sin hojas, no sólo para permitir la ventilación sino para dar salida a una casita casi de juguete, también de guano y yaguas, que es el retrete, construidas ambas en una elevación de la costa que le sirve de protección y de atalaya, medio confundidas entre la profusión de caletas y la grava oscura sembrada de hicacos y salvia marina, y un poco detrás las canas, las palmas canas secas y amarillosas y la yana, dura, recia, las pocas que quedan, las que no talaron los carboneros, resisten al sol y al mar y al viento; más allá, al otro extremo de la playa, de arenas prietas, está el estero y dentro la impenetrable vegetación de los mangles, extendiéndose, como una gangrena verde,

94

de las arenas negras del playazo a las mansas aguas sepias, coloreadas por el tanino: el manglar, dilatado, misterioso y fascinante, un monstruo vegetal que usa zancos para cruzar el agua.

Lo conoció cuando un día del colegio las llevaron al circo (entonces ella no tenía más de dieciséis años) y él trabajaba en él, no de estrella principal, ni siquiera de segunda figura, sino que era uno de los seis cuidadores que salían con los elefantes, y era el más insignificante de ellos, casi enano entre los seis elefantes y los cinco americanos enfundados en amplios monos azules, pero se distinguía por ser el que mejor gobernaba su elefante, blandiendo el bastón de hierro y pegando duro sobre la trompa, el pobre animal hurtando su costrosa corpulencia, temeroso de los golpes. Él no era más que eso: un cuidador, un *tarugo*, uno (el menos significado) entre todos los que salían a la pista, pero ella lo vio y no miró más a los trapecistas, ni al domador de leones, ni al jinete español y su alazán, que tanto le gustaban. Él también la vio a ella.

En el circo no eran sólo los animales los que le tenían y cuando propinó una terrible paliza al que tenía a su cuidado, lo despidieron. Él amenazó de muerte al domador de elefantes, pero al mes el circo marchó a Florida, y sus amenazas no sabían nadar.

Volvió a trabajar como chófer (porque tenía el inexplicable atractivo de los *gigolós* para las damas ricas) para una viuda adinerada, que trataba de esa manera de justificar el dinero que le daba, aunque sus manos pocas veces las puso en el timón. Como se veía bien en su uniforme azul pizarra, pronto visitaba por las noches el cuarto de la sirvienta y también entraba en el cuartuco junto a la cocina a morderle la oreja a la negra cocinera, en ambos lados furtivamente, porque la señora siempre estaba mirando a través de las persianas para las ventanas de la habitación sobre el garaje, hasta que la luz de allá se apagaba o hasta que *Chani* apagaba la luz de acá. Y por encima de estas turbias aventuras, o más bien: echándolas a un lado, estaban las vueltas al colegio, para ver de lejos a Florencia, que acudía al portón enrejado a verlo pasar en su máquina —esas veces sin uniforme. Y él sabía que aquella estampa de la niña estrujando su cara contra los barrotes de hierro, le ponía algo ajeno dentro, no honradez ni pureza, porque esas palabras no entraban en sus planes, sino algo nuevo, diferente, no sentido hasta ahora un objeto tangible pero impalpable que se colaba dentro, desplazando sus entrañas y poniendo en su lugar una nada que se desbordaba por cada hoyo del cuerpo inagotablemente: algo como una enfermedad, como una gripe del alma, un estado de sensualidad y fiebre que desde el principio él no pudo o no quiso diagnosticar como amor.

¿Y la niña? Bien, aunque la piel de la niñez la dejó en diciembre, en el circo, como algo que ya no necesitaba. Sentía que todo cambiaba, que el colegio no era más un hogar, sino una casa, casi una prisión, y veía los hierros del portón no como antes, sino como barrotes que aprisionaban su carne, y el mismo portón no era una entrada sino la salida a un mundo que la llamaba, a una vida que le pertenecía y sin embargo le estaba prohibida, como el monte para un pájaro enjaulado.

El pájaro escapó. Primero fueron salidas breves, vueltas a la manzana cuando ya había sonado la queda, después se extendieron al barrio y al centro de la ciudad, por último ella se quedó toda la noche fuera y al amanecer, cuando regresaba a su cama, se encontró una comitiva de espera, con la superiora al frente. Oyó adjetivos que nunca había oído y que jamás olvidaría, después de una semana de confesiones, arrepentimiento y padrenuestros, vinieron a buscarla de su casa, por la que ella, que creía que el perdón religioso lo arreglaba todo, encontró inútiles, con rencor, los ejercicios de purgatorio a que la habían sometido. Fue enviada por la familia a una finca lejana de la que ella había oído hablar como de algo remoto e inaccesible que asociaba con Constantinopla, y mantenida allí como en cuarentena. Pero su mal no era de la calidad efímera de las epidemias, sino una enfermedad crónica, incurable, que había hecho de su cuerpo campo de cultivo.

Chani (el hombre se llamaba *Chani* Picabia) encontró el escondite y la rescató o la raptó y le contó cómo había tenido que robar a la señora dinero y el auto, que pronto convertiría también en dinero, y cómo escaparían en una goleta anclada en un puerto de la costa sur. Él no habló de cambiar aquella vez, pero por si tratara de hacerlo ella le dijo: «No me digas nada de cambiar o cosa parecida. No te quiero reformado, sino formado como estás. Quizá te quiero porque eres el reverso de la medalla del bien. Porque eres justamente lo contrario a todas esas prédicas que me han metido en la cabeza a la fuerza, sin dejarme decir si las quería o no, si las necesitaba o sobraban». Él respondió que estaba bien, que eso lo hacía todo más fácil, pero que sobre todo, no quería discursos.

Así comenzó. Y continuó por espacio de diez a quince años, durante los cuales el hombre participó en confusas aventuras, y la mujer, siempre junto a él, a veces le ayudó. Como ahora.

Dijo: «Éste es un gran golpe. No puede fallar». Lo había madurado desde el principio. «Será un doble juego perfecto. Claro que los riesgos serán dobles también. Pero lo tengo todo tan bien planeado. Qué va: no puede fallar». Y le dio a ella sus instrucciones: vendría a la isla, al cuartel de la ciénaga, como ellos le llamaban al bohío; porque no sabía el camino vendría con la India, alquilaría un carro, preferiblemente un pisicorre,

97

y esperaría su señal en la noche o la madrugada, seguidamente, si todo salía bien, traerían el cargamento a la capital, donde lo venderían, con ese dinero se marcharía bien lejos, a ponerlo en algún nuevo negocio no mucho más limpio, pero sí más productivo y menos peligroso. Habló también de lo que debía hacer si no veía la señal: «Oye, Flor, si a las tres no hay candela, te vas a escape, y esperas un día o dos en Aguada. Si no regreso en ese tiempo vuelves a la capital o vas a casa de los viejos, como quieras. Si no sabes más de mí, puedes imaginar lo más heroico, lo más espectacular, lo más literario. Que será todo lo contrario». Y la besó larga y fuertemente, tanto que aún le duele. Después, ya yéndose, fue que dijo lo del mar.

Ahora, diez, quince años después, se ve de regreso a la isla, que ha sido siempre el accidente geográfico que más ha aborrecido, una porción de tierra más o menos limitada, rodeada de agua por todas partes, menos por arriba, excepto cuando llovía: una roca miserable, un escollo, una balsa inmóvil, una astilla del naufragio de la tierra firme aislada por el mar, una jaula de agua: una prisión. Ahora frente al mar, hosco, iluminado por una luna irreal e inútil y por eso oscuro, engañoso, con leves rizos en la superficie y dentro sólido, un bloque, no estático como la tierra sino una mole que avanza y se retira incesantemente, siempre agresivo y sin embargo tranquilo, manso, acostado, con un rumor de gatos que roncan, un ronroneo que invita peligrosamente a tenderse y dormir, confiado, sabiendo que tiene a la tierra a su merced y que siempre que ataque saldrá vencedor, laso, reposante en su lecho, pero atento, vigilante y presto a saltar y golpear: el mar es un gallo negro de crestas blancas de espuelas de olas, enfuriado y pasivo a la vez: es un cuervo de alas de agua y de la negrura de su plumaje entresalen blancos plumones: es un caballo-loco, negro y salvaje, que atado sin embargo cabalga con furia dentro de un hoyo, sus dispersas crines blancas al viento, la boca babeando blanca espuma, el belfo que arrastra con ruido de resaca los guijarros de la orilla, bufando locamente mientras con tenacidad piafa, sus cascos golpeando obstinadamente la arena de la playa: cuervo de malagüero, gallo negro y caballo-loco, adversarios, rivales, enemigos de aquella mujer que, también con hostilidad, lo espía confiando salir triunfante porque conoce sus secretos y porque aguardar para ella es una segunda naturaleza y porque a la larga ha aprendido que su hombre es un vencedor, no un guerrero medieval ni un caballero andante, sino un contrario agazapado, traidor pero hasta hoy, siempre ganador.

Pero algo dentro de ella susurra: *El mar no es un elefante.*

Se vuelve, atraviesa el portal y penetra en la casa, con paso largo y suelto, pero según traspasa la puerta, se detiene, parada en seco porque en el suelo y a la poca luz del quinqué ha visto una mancha oscura, un nudo de pelos, una axila, la sombra de una mano, y supo al tiempo que la veía que era una araña. Siente que las piernas le flaquean a pesar de que todo su cuerpo está rígido por la sorpresa y el miedo. Trata a la vez de llamar, de correr afuera, de aplastarla con el pie, pero está fascinada por aquella pequeña alimaña que ahora está segura que la mira desde su minúscula cabeza barbada.

No la vio saltar pero sintió el leve golpe en un seno y se dio cuenta que la araña había caído justamente encima del rebozo y aunque no se atrevía a mirar, por sobre el párpado inferior, por debajo de la rosada y difusa línea de la boca podía distinguir la mancha más negra como estampa en la tela negra, y cuando trató de llamar a la india, de su boca no salió más que un «¡Aa!», que era mitad ah y mitad ay.

Pero la india un instante antes de dar el salto la

araña, se había disparado hacia la puerta, una mano, la derecha, en alto y la otra levantando el extremo de su larga y ancha enagua, cubriendo en tres pasos la distancia que la separaba de la puerta, los labios apretados y sus ojos fijos en la araña, toda su cara estirada como una flecha que indicara el bicho, arrancó la araña de la tela, en su cara (ya una flecha encajada, en reposo) una mezcla de disgusto y placer, y la aplastó contra la pared.

La mujer al fin pudo hablar:

—¿No te mordió?

—No más en la mano niña. Pero...

—Vaya. Qué suerte.

—Dejó su figa en las cachazas. ¿Y a usté niña?

—Nada más el susto, Anastasia — dijo la mujer.

—No estaba de Dios — dijo la india.

—Gracias a ti.

—Yo no hice na niña. No estaba de Dios no más.

—Son unos animales repugnantes — dijo la mujer.

—Tienen que vivir niña. Son como los cristianos niña, que pa vivir unos tienen que matar a otros — dijo la india, hablando palabra· a palabra.

«¿Por qué tendrá que hablar tan despacio?», pensó irritada Florencia, la mujer, y dijo: — Gracias de todas formas.

—De nada niña. No estaba de... — comenzó la india, pero la mujer, volviendo la espalda, saliendo al portal, cortó:

—Bueno, ya ya ya ya.

—Como mande niña — dijo la india.

«Tenía que salir», tenía que salir a respirar aire puro, a bañarse en la brisa del mar, a que el salitre le quitara el miedo y el hedor, «si no, me ahogaba».

—Es mejor encarar al mar — dijo, detenida en el portal, mirando a un punto imposible entre el mar y el cielo. De seguida recordó el incidente de la araña y pensó que le debía a aquella mujer a quien nunca había considerado una mujer, un gran favor, y se sintió encadenada a ella.

—La gratitud es la peor forma de servidumbre —dijo y se dijo que debía encontrar la manera de devolver aquel favor con uno mayor, no por la india sino por ella.

Una hora, una o dos: ella diría diez, antes había visto salir la luna, una luna mal hecha, chafada por los bordes como una canica estropeada, que emergió de entre unos rabos de nubes por sobre el horizonte; luego aquella caricatura de la luna logró desprenderse de los harapos de nube y brillar con intensidad, alumbrando el mar y la costa, y la mujer había pensado que una luna tan luminosa lo hacía todo más difícil. Ahora la luna se había ocultado y la mujer se sintió más tranquila.

Arriba, los puntos luminosos de las estrellas cobraron brillantez y abundaron, y la mujer pensó con agrado que el cielo era un espejo que reflejaba una ciudad lejana. Desde los mapas del cielo del atlas, los hermosos mapas negros con la línea del reloj de arena dibujados en ellos, vistos en la niñez cuando estudiaba geografía universal, de la voz cómicamente aflautada de Sor Circuncisión, llegaba a este mapa del cielo dibujado en el cielo, la lección:

«etcétera. Las más brillantes se llaman de primera magnitud, las que siguen a éstas en resplandor, de segunda magnitud, y así se conviene en que hay estrellas de cuarta, de quinta magnitudes, etcétera. El tamaño que para nosotros tiene una estrella depende no sólo de su volumen real, sino sobre todo, de la distancia. Son estrellas de primera magnitud: Sirio, que es la estrella más brillante, Arturo, Vega, Aldebarán, Antares, etcétera; de segunda: las de la constelación de la Osa Mayor o Carro de David; de tercera: las de la Osa Menor, etcétera. Aquí encontramos la estrella Polar, que marca el norte siempre, y que por tanto, sirve para la orientación. El firmamento está plagado de soles, satélites, planetas, etcétera, mayores y menores que nuestros familiares Sol, Marte, etcétera, pero sólo la Tierra ha sido escogida por el Sumo Creador, Dios, para habitación del hombre, perros, caballos, etcétera, y los demás animales de la Creación. El firmamento es brillante, pero su brillo como la vanidad humana es cosa efímera, pues el día del Juicio Final, lo ha dicho el Apóstol San Juan en su Apocalipsis, todas las estrellas se han de apagar».

—Ésa de ahí es Sirio. Aquélla es la constelación de Orión. Osa Mayor, Can menor, Osa menor, Can mayor. ¿Se apagará también la hermosa Betelgeuse, mi buena e ignorante Sor Etcétera?

«La estrella Polar que marca el norte siempre sirve para orientarse», pensó.

Sus ojos descendieron desde el brillante punto solitario hasta la raya que marcaba el horizonte y sin notarlo se halló buscando en la inerte masa oscura que tenía delante, extendida a izquierda y derecha de los ojos, un indicio, una señal.

Llamó fuertemente.

—¡Anastasia, ven acá!

La india se acercó presurosa y callada, sólo su enagua produjo algún sonido al rozar el marco de la puerta.

—Mande niña — dijo.

La mujer, de espaldas, andando hacia la playa, habló:

—Acompáñame.

Echaron a caminar hasta la orilla del mar, la india detrás de Florencia, cumpliendo aquel acuerdo tácito que convertía a la primera en criada y guardaespaldas de la última. Descendieron el ribazo, sembrado aquí y allá de hicacos y salvia marina y caminaron sobre los guijarros sueltos de más abajo. Oyen aletear, muy cerca del agua, un pájaro, que vuela rápido a lo largo de la costa y se pierde entre el rumor de la resaca. La arena es muy suelta al principio y los pies de las dos mujeres se hunden suavemente, haciendo la marcha titubeante y lenta; luego, más próximo al mar, el agua la solidifica y los zapatos van dejando una huella bien impresa y efímera, porque la próxima ola, más larga, cubrirá de agua el molde de la huella y después la borrará. La mujer siente que un menudo roción moja su cara, los pequeños puntos salobres picando en su labio como leves mordidas, y la brisa le despeja la frente, llevando hacia atrás su cabellera, y como lo considera un regalo del mar, se aparta de su lado y vuelve a caminar sobre la arena suelta, casi en las faldas del ribazo. Siempre en fila, vadearon cuidadosamente algunos charcos dejados por la marea en su retirada y recorrieron la desolada playa una y otra vez, la mujer delante, oteando con obstinación al mar, la india detrás, caminando lentamente, mirando al suelo, el andar pausado, quedo, la cabeza gacha, su enagua y su pelo tan negros que dejan su cetrino rostro suspendido, en toda ella un misterioso aire de caminar dormida o más bien: indiferente a todo.

Al cabo, la mujer se detuvo y llamó.

—¡Anastasia, ven acá!

La india se adelantó hasta ella, escurridiza, silenciosa, como resbala una gota de aceite sobre la mano mojada.

—Mande niña — dijo.

La mujer aguardó para mandar, como si esperase que la otra mujer acomodara sus ojos al cuarto oscuro de la noche.

—Anastasia, ¿qué ves?

La india se quedó callada.

—¿Puedes ver tú la señal?

No tenía que esperar para contestar, pero se demoró mucho en hacerlo, quizá dando tiempo para que la respuesta fuese acatada, quizá porque era india, pero nunca porque guardase la esperanza de ver la señal.

—Nada niña. Ni asomo.

La mujer no tuvo que decirle a la india que volviesen a la casa.

—¿Por qué no pasa adentro? Aquí se va jelar — dijo la india, como la viese sentada mucho rato en la tierra apisonada del portal, mirando a lo lejos.

—Estoy bien aquí.

—Al menos le traigo en qué sentarse.

—No te molestes —dijo la mujer.

—No es nenguna — dijo la india.

—Como quieras.

—Es que habrán bichos por ahí — dijo la india.

—Está bien. Trae un taburete — dijo la mujer.

—Le trairé un taurete.

En este momento, la mujer sentada en un viejo taburete de cuero, su cabeza recostada contra uno de los postes, mira al mar y a las estrellas, tratando de encontrar la contraparte de alguna de ellas en el mar. La oscuridad y el esfuerzo le forman puntos luminosos que ella ve brillar con sorpresa repetidamente, hasta que pestañeando logra borrarlos, como a engañosos puntos de tiza en la pizarra del mar. Arriba pasa graznando con sonido de tijeras de podar, una lechuza. La oscuridad se hace tan extrema, ahora que la india por orden suya ha apagado el quinqué, que los oídos le zumban y siente que se va a desmayar. La negrura le entra por los huecos de la cara como una líquido baboso. Piensa que ya es de madrugada y por primera vez tiene sueño. Sosegadamente, adormilada por el distante rumor del mar, soñando que está despierta, duerme.

Despierta sobresaltada y mira al cielo. Una lluvia de estrellas cae sobre el mar. Todas las estrellas se desprenden y caen, una a una, y bajan flotando, sin prisa, luminosas como bengalas, y luego quedan ardiendo sobre el mar, soltando un humo blanco y espeso, y permanecieron como puntos de luz, como señales acordadas. Una se disparó hacia arriba como el cohete de auxilio de un buque que se hunde. Del cielo siguieron cayendo las estrellas, hasta que la concha de arriba quedó a oscuras y la comba de abajo se sumió en una oscuridad aún mayor, después que la última señal se apagó.

Sintió que en la oscuridad alguien le echaba encima una manta y un calor confortable la hundió más en el hueco del sueño.

La india la tocó suavemente por un hombro y la mujer entreabrió los ojos y vio que ya era de día. La india ensayaba muy cerca de su cara lo que a duras penas podía llamarse una sonrisa. Tenía dientes amarillos y cariados.

—Buen día niña — dijo.

—¿Qué hora es, Anastasia?

—Temprano niña.

—No debiste haberme dejado dormir — dijo la mujer, con reproche.

—Usté dormía y yo miraba niña. No podía con el sueño.

—¿Viste algo? — preguntó la mujer.

—No más que el fegofato de los pejes.

La india entró en la casa y luego regresó con una vasija de esmalte en las manos.

—Hice café pa usté niña.

—¿Y este jarro? — preguntó, desconfiada, la mujer.

—Lo traje niña.

—No quiero ese café.

—Tómelo no más niña. Verá que le hace bien — dijo la india.

—No quiero, te he dicho.

La india se encimó más sobre la mujer y trató de ponerle el vaso en las manos.

—Está limpio niña — dijo.

La mujer tomó el vaso en sus manos y lo arrojó lejos. La india no dijo nada.

—Te dije que no quería — dijo la mujer, fuera de sí.

—Usté manda niña — dijo la india.

Florencia echó a un lado la frazada y se dirigió a la playa. Cuando descendía el ribazo vio a la india recoger el jarro del suelo y limpiarlo en la falda.

Caminó por la playa mirando alternativamente al mar y a la sinuosa línea de costa que marcaban las olas. El crujido de sus pies oprimiendo con fuerza la arena, hizo que una cayama que daba breves saltos en la arena, emprendiera el vuelo a lo largo de la playa hasta perderse en el bosque de mangles, a lo lejos. Se detuvo frente al mar: estaba liso y cubierto de un gris plomizo hasta la mitad, de ahí en adelante tenía una suave coloración azul cobalto, con manchas blancas que se levantaban y desaparecían y a veces, corrían de izquierda a derecha, saltando, como marsopas de espuma. Por algún lado, el sol, que ahora brillaba fuerte, hacía reverberar el cielo sin nubes. Siguió su camino, que era incierto e inútil.

Cerca del ribazo, entre una profusión de chinas pelonas batidas por las olas, encontró una botella verde llena de agua hasta la mitad. Sin saber por qué, se vio llorando frente al mar.

Cuando regresó halló a la india agachada sobre un plantío de hicacos, comiéndolos despaciosamente.

—Nos vamos — le dijo.

—Sí niña — dijo la india.

Detuvo la camioneta junto a la casa.

—Anoche soñé con una lluvia de estrellas, Anastasia — dijo la mujer, aferrando con sus manos el timón. — El cielo se quedó sin ninguna y luego una de ellas quiso regresar al lugar de donde había venido.

—Es un sueño raro niña.

Miró al mar por última vez y lo sintió tan hostil

como cuando había llegado el día anterior, al atardecer, y pensó que nada se parece tanto al alba como el ocaso.

—Sí, fue un sueño raro. ¿Qué querrá decir, Anastasia?

—No sé niña.

Se miró las manos. Ahora sabía que no tendría que buscar más nada en el mar.

—Dime, Anastasia, ¿es buena o mala suerte? — preguntó la mujer.

—No puedo decirle niña — dijo la india.

Ella miró a la india, a sus ojos amarillos como las cuentas de los ojos de las aves disecadas.

—Pero tu gente... sabe — dijo la mujer.

—No saben niña. Mi gente no sueña con estrellas que llueven.

—Tú sabes — dijo con reticencia la mujer.

—No sé niña. Se lo juro.

La mujer comprendió que nunca sabría nada de aquella otra mujer.

—Fue un sueño raro, Anastasia — dijo.

—Sí niña — dijo la india.

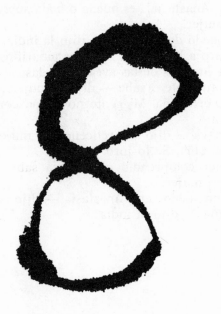

Y el alicate se corrió y rozó el alambre de cobre y la explosión lo levantó y antes de aplastarlo contra la pared ya lo había reventado y otras explosiones sucedieron a la primera y el sordo rumor salió del cuarto y retumbó por la casa fuera hasta el final de la calle y *cuando llegaron los bomberos fue necesario tirar la puerta a hachazos porque estaba cerrada por dentro y por entre el humo y el polvo vieron los cuerpos hechos pedazos y los muebles en añicos y los jirones de ropa. Todo el cuarto estaba encalado de sangre.*

LA MOSCA EN EL VASO DE LECHE

Eran dos, no una sola, como al principio había pensado. Su vista era cada día más corta, según creía ella, debido a la costura y no a la vejez. Cuando vio una mancha sobre el cubrecamas pensó que era una mosca, una quizá un poco más crecida, pero una sola. En este momento podía ver, posadas sobre su muslo, un poco por debajo de la línea de sombras que proyectaba la falda recogida hasta media anca, las dos moscas claramente cogidas en un abrazo de amor.

—Nunca pensé que fuera así — dijo.

Una de las dos moscas abandonó el ayuntamiento y voló hasta la mesa. Se posó sobre el mantel y quedó allí, descansando, sin movimiento. La otra que había saltado a la tela en que ella cosía hace un rato, comenzó a lavarse con las patas delanteras, prolijamente, pasaba y repasaba sus artejos por su pequeña y a la vez monstruosa cabeza, limpiando con cuidado de gato su cara, sus ojos abultados y poblados de celdas y su larga y peluda trompa, que flexionaba arriba y abajo, a ritmo con las .patas, empeñada en limpiar cada parte de su cuerpo, ahora se ocupa de las alas, de sus hermosas traslúcidas alas, frágiles y poderosas a un tiempo: ahí friccionando sus antenas ante su cara era un bello animalito, grácil y de colores oscuros y llenos de vida.

La mujer la observó, callada, haciendo con sus labios la forma que toma la boca cuando se pronuncia la o con extrema perfección, y luego abría sus ojos desmesuradamente hacia el insecto, por último, se incorporó y fue hasta la máquina de coser donde reposaba el retazo de raso azul-celeste, como un manto en las pin turas religiosas, levantó su grande y pesada mano cargada de para que no lo hagas más y la aplastó sobre la mosca.

Pero la mosca la había observado con una de las múltiples facetas de cualquiera de sus ojos y voló fuera del alcance del manotazo, un segundo antes. Al principio, no cayó en cuenta, pero cuando no la encontró muerta al retirar su mano, bajó ella, rompió a llorar rabiosamente:

—No lo hagas más, no lo hagas más — dijo entre sollozos.

Se sentó en la cama, gimiendo todavía, y arrojó lejos las chancletas de palo que llevaba, recostó su cabeza de descuidados y sucios cabellos cenizos contra la almohada y dobló el brazo derecho sobre sus ojos, para evitar que la claridad que manaba del tubo de luz fría le molestara.

La había tenido que encender media hora atrás porque la oscuridad ya no le permitía coser. Antes se había levantado de la máquina para ver qué había hecho que todo oscureciera tan de repente y temprano y se asomó a la ventana. La reja tenía un complicado dibujo bordado en hierro y a través de ella podía ver la calle y de día, el cielo.

—Parece que va a llover — dijo a la reja.

Marchó adentro, renqueando por el calambre que le habían producido las horas pasadas junto a la máquina de coser, sentada cosiendo.

—A ver si se va el calor — bisbiseó a la oreja redonda de la máquina, antes de que diera vueltas.

Pero el calor no se había ido en media hora y tal parece que no se irá en medio día. Ahora siente que el grueso colchón y la sangre de su cuerpo aumentan el calor y lo acumulan en la espalda, pero no desea cambiar de posición y mucho menos levantarse. ¡Está tan cansada!

111

—¡Sí, cansada de todo y de todos ustedes: de cocinar, de lavar, de limpiar esta puerca casa tres veces al día, y luego tener que pegarme a la máquina, a coser la tarea del día, cansada de servirles a ustedes de madre y de mujer sin serlo, sin haber tenido ni hijos ni marido! ¿Qué coño se creen? — les había gritado a sus dos hermanos por la mañana, cuando uno de ellos respondió a su lamento de siempre: «¿Cansada de qué?».

—¡De todo, me oíste, de todo! No puedo seguir viviendo así; es que no puedo. ¡Me iré de aquí! Buscaré marido y me iré de aquí, ¿lo oyen?

—Ya estás vieja para las dos cosas.

El que contestó fue el hermano mayor y el hermano menor dijo:

—Sí, muy vieja.

—Vieja, pero todavía tengo con qué. Tengo piernas y tengo brazos y tengo... — pero el hermano mayor no la dejó terminar de un manotazo. Sintió cómo un gusto entre salobre y dulzón inundaba su boca y quizá pensó que no era desagradable.

—Te quedarás aquí y trabajarás. Como nosotros. En esta casa nadie puede vivir a costillas de nadie. Los tiempos están malos — dijo el mayor. Y el eco fraterno repitió:

—No, los tiempos están malos. Viene el tiempo muerto, el tiempo de la zafra se va y el tiempo de los bobos se acabó — y se rió con su risa de idiota.

Pero la cama se calentaba demasiado para permanecer sobre ella, y aunque se había virado sobre el lado derecho, un caluroso vaho sofocaba su brazo y su muslo. El vestido estaba pegado a la espalda por una zona más oscura sobre el pardo indefinido de la sarga pringada, costrosa.

Se puso en pie.

—Dicen que es el calor. Sí, es el calor — dijo mientras echaba hacia atrás su pelo pegado a la cara. Pasó el dorso de una mano por la frente y lo retiró mojado, limpiándolo en la falda. — Pero ¿por qué no podré tranquilizarme? Quiero vivir tranquila. ¿Por qué no soy de piedra, Señor?

Buscó con los ojos la abigarrada lámina que presentaba a Cristo, de frente, a medio cuerpo, en la pía actitud de mostrar sus llagas y heridas y sufrimientos mientras su cara se dulcificaba melancólicamente, en aquella lámina, y no halló respuesta.

Pronto olvidó sus ruegos y sintió sed. El calor había aumentado hasta hacerse ciertamente insoportable. Renqueó, a trompicones, rascando alternativamente sus cabellos o sus muslos, golpeando, leve, con el puño cerrado, el costado derecho de su vientre hasta conseguir eructar, llegó al cubo donde guardaban el agua para tomar, pero antes de ver el fondo de la vasija, seco, cubierto de algún polvo y uno que otro insecto muerto, recordó que el agua se había terminado durante el almuerzo. Y aunque sabía que no saldría agua por la llave del agua, fue hasta ella, dando tumbos, acalambrados sus miembros, mesándose la cabeza, gritando hasta enronquecer, y antes de acordarse que quedaba alguna leche en el fondo del litro, en la alacena, y decidir que la leche podía quitarle algo la sed.

Vació totalmente el pomo en un vaso de borde grasoso y cubierto de restos de comida, cogido del fregadero, junto a la loza del almuerzo. La leche llegaba casi a la mitad del vaso y se sintió feliz. Calmada, se sentó a beber la leche.

Entonces fue cuando las vio de nuevo. La primera que regresó fue la que debía ir debajo, luego vino la otra. La mujer las vio claramente esta vez, porque estaban posadas sobre el mantel que todavía cubría la mesa, pero no quiso mirar. Aunque no tenía que mirar. Allí estaban las dos, ocupando el lugar de una sola, regodeándose en el pecado, moscas como hombre y

113

mujer. Dejó el vaso de leche, del que apenas había bebido, en la mesa y fue hasta el armario y sacó de entre la ropa propia planchada y la recién hecha ajena, un abanico de guano.

De vuelta a la mesa, vuelta que había realizado de puntillas, evitando respirar, empezó a levantar suavemente el abanico encima de la mosca, las moscas. Súbitamente lo hizo descender. Sobre el mantel blanco, aunque manchado de grasa y con fideos pegados a él, el abanico de fibras de colores tejidas se veía con agrado. Pero las moscas, abrazadas, volaron ilesas, juntas, hasta la pared extrema de la habitación.

«¿Por qué yo siempre tendré que coser ropa de hombre? ¿Por qué siempre pantalones y pantalones y nada más que pantalones? ¿Por qué no me dan batas lindas o vestidos de vieja u otra cosa? ¿Qué se creen que soy yo, una cualquiera? Están equivocados, pero muy equivocados. No hago más que coser pantalones y pantalones. Seguro que lo hacen para ver si yo todavía abrazo las piernas y lloro o me olvido de ponerle los botones justos donde van, o que los escondo para dormir con ellos. ¡Están...»

—...muy equivocados! — gritó, ya en alta voz.

—¿Equivocados en qué? — le había preguntado, lentamente, su hermano mayor, que aseguraba los forros de una chaqueta frente a la mujer, mirándola por sobre los espejuelos.

—Nada. Pensaba... pensaba... —¿Para que hubiera otra pelea? Mejor callarse.

Y callada comenzó a recordar los días de niña, cuando su padre, entonces adinerado porque la sastrería tenía su clientela, la llevaba los domingos por la mañana a un picadero, ¿dónde, dónde estaba?, ¿en qué lugar era?, y ella montaba a caballo, como los hombres, por no querer abandonar sus lindas batas, y el sudor del caballo mojaba sus muslos y en seguida el sudor de sus muslos respondía al del caballo. Luego había otras fiestas, otras diversiones, pero no recordaba más, aunque sabía que había más, pero no podía recordar. ¿Por qué el caballo y los paseos a caballo, siempre?

Las dos moscas ahora se revolcaban cerca, a pesar de que les había huido hasta la máquina de coser, pero ellas se posaron sobre el raso, zumbando sobre la tela.

—¡No, ahí no! — gritó ella, ahuyentándolas con la mano. — Ése es el manto de la Virgen.

Pero se posaron más cerca de su cuerpo, frente a su cara. Retrocedió hasta el extremo de la silla y cuando ellas volaron hacia ella, cayó de espaldas, al suelo. Se puso en pie y corrió hasta la otra habitación y deseó que hubiera puertas que cerrar, mas ellas dos la siguieron hasta allá. En el otro cuarto, cerca del fogón se armó con la escoba y tomándola por el mango, golpeó a las moscas en el aire. Por supuesto que no pudo darles. Volvió a pegar de nuevo, esta vez sobre el fregadero, destrozando el amasijo de vasos y platos cubiertos de desperdicios, las moscas se habían ido, sin daño, pero a pesar de ello, siguió golpeando sobre los añicos. Las moscas volaron, no era posible determinar si en retirada o en simple viaje de luna de miel, a la primera pieza y se posaron sobre el armario. Ella llegó y golpeó concienzudamente cada sección del mueble y también sobre el espejo, que primero rajó y luego cayó en pedazos. Las moscas saltaron a la cama y ella atacó el colchón más de una vez y a las almohadas pegó con escoba y mango para que el plumón y la lana reventaran las fundas en diversos sitios. Las moscas en cada vez se posaban sobre algo rompible, como para que ella lo destrozase, y lo hacía.

Al cabo, sudorosa y jadeante, no veía dónde golpeaba, y pegaba aquí y allá, sin mirar siquiera, los ojos llenos de lágrimas y sudor, llorando a grito. Así estuvo un rato. Cuando no pudo más, cayó al suelo, sofocada y extenuada, gimiendo sobre las losetas. Allí el calor se hizo más intenso a cada jadeo de la mujer, hasta que en un vaho caldeado, imposible, rompió una lluvia fuerte y continua, que chocaba con el piso del patio con un ruido hirviente, que crecía.

El aire fresco y húmedo que venía del patio, la hizo alzar primero la cabeza y después los ojos a la lluvia, y quedó mirándola por un tiempo. Luego se levantó de repente, se despojó de las ropas y corrió hasta el agua que caía. Allí dejó que la lluvia la mojara un buen rato.

Cuando regresó, desnuda, su cuerpo oscuro y ya viejo chorreando agua del patio donde ha dejado que le caiga todo al aguacero encontró que una de las moscas se había ahogado en el vaso de leche.

El *auto frena junto a la salida de la calle Egido.
Baja un hombre. Baja otro hombre, otro y otro más.
Los guardianes de la puerta retroceden. El primer hombre cae. Muerto. El segundo hombre es herido. Pierde
los espejuelos. Las balas vienen de detrás. En el café*

*de la esquina hay unos soldados y dos marineros dis-
parando. Bien cubiertos. El hombre que ha perdido los
espejuelos camina a tientas hacia la entrada del edificio, por Colón. El más joven de los hombres cruza la
calle. Va hacia el parque. Corre. Siente algo que corre
tras él. Mira. El asfalto, la acera y la yerba saltan en
pedazos hacia arriba. Una ametralladora criba sus hue-
llas. Corre. Se refugia tras la estatua. La estatua es de
mármol. El mármol que forma la mano del hombre de
la estatua, salta. A la mano le falta un dedo. El muchacho va a disparar. No lo hace. Mira la pistola. Es solamente hierro. Está vacía. Va a tirarla, pero no lo hace.
Vuelve a correr. Los huecos de las balas siguen su carrera. Él corre en zig zag. Las balas corren tras él, en
zig zag.*

Llovía. La lluvia caía con estrépito por entre las columnas viejas y carcomidas. Estaban sentados y él miraba al mantel.

—¿Qué van a comer? — preguntó el camarero.

«Menos mal que no dijo: ¿Qué tú no vas a comer?», pensó él. «Debe ser por el plural.» Le preguntó a ella.

—¿Qué quieres?

Ella levantó los ojos del menú. En las tapas del cartón oscuro se leía «La Maravilla». Sus ojos parecían más claros ahora con la luz nevada que venía del parque y de la lluvia. «La luz universal de Leonardo», pensó él. Oyó que ella hablaba con el camarero.

—¿Y usted? — el camarero hablaba con él. «¡Ah! ¿De manera que también en el singular? Bien educado el hombre».

—Algo simple. ¿Hay carne?

—No. Es viernes.

«Estos católicos. Gente de almanaque y prohibiciones.»

Lo pensó un momento.

—¿No hay dispensa? — preguntó.

—¿Cómo dijo? — preguntó el camarero.

—Me va a traer costillas de cordero. Grillé. Y puré de papas. ¡Ah! y una malta.

—¿Usted va a tomar algo, señorita?

«¿Y por qué tan seguro?»

Ella dijo que cerveza. «Toda una mujer».

Mientras traían el almuerzo la miró. Ahora le parecía otra mujer. Ella levantó los ojos del mantel y lo miró: «Siempre desafiante», pensó él. «¿Por qué no tienes cara de vencida hoy? Debías tenerla».

—¿En qué piensas? — preguntó ella y su voz sonó curiosamente dulce, tranquila.

«Si tú supieras». Dijo:

—En nada.

—¿Me estudiabas? — preguntó ella.

—No. Te miraba los ojos.

—*Ojos de cristiana en una cara judía* — citó ella. Él sonrió. Estaba ligeramente aburrido.

—¿Cuándo crees que escampe? — preguntó ella.

—No sé — dijo él —. Posiblemente dentro de un año. Tal vez dentro de un momento. Nunca se sabe en Cuba.

Él hablaba siempre así: como si acabara de llegar de un largo viaje al extranjero, como si estuviera de visita, fuera un turista o se hubiera criado afuera. En realidad nunca había salido de Cuba.

—¿Crees que podremos ir a Guanabacoa?

—Sí. Ir sí. Aunque no sé si habrá algo. Llueve mucho.

—Sí. Llueve mucho.

Dejaron de hablar. Él miraba al parque más allá de las columnas heridas, por sobre la calle que aún conservaba los adoquines y la vieja iglesia tapiada por las trepadoras: al parque de árboles flacos y escasos.

Sintió que ella lo miraba.

—¿En qué piensas? Recuerda que juramos que siempre nos íbamos a decir la verdad.

—No, si te lo iba a decir de todas maneras.

Se detuvo. Se mordió los labios primero y luego abrió desmesuradamente la boca, como si fuera a pronunciar palabras más grandes que su boca. Siempre hacía ese gesto. Él le había advertido que no lo hiciera, que no era bueno para una actriz.

—Pensaba — la oyó y se preguntó si ella había comenzado a hablar ahora o hacía un rato — que no sé por qué te quiero. Eres exactamente el tipo de hombre contrario al que yo soñé, y sin embargo, te miro y siento que te quiero. Y me gustas.

—Gracias — dijo él.

—¡Oh! — dijo ella, molesta. Volvió a mirar al mantel, a sus manos, a las uñas sin pintura. Ella era alta y esbelta y con el vestido que llevaba ahora, con su largo escote cuadrado, lucía hermosa. Sus pechos en realidad eran pequeños, pero la forma de su tórax combado la hacía aparecer como si tuviera un busto grande. Llevaba un largo collar de perlas de fantasía y se peinaba el cabello en un moño alto. Tenía los labios parejos y carnosos y muy rosados. Tampoco usaba maquillaje, excepto quizás una sombra negra en los ojos, que los hacía más grandes y más claros. Ahora estaba disgustada. No volvió a hablar hasta que terminaron de comer.

—No escampa.

—No — dijo él.

—¿Algo más? — dijo el camarero.

Él la miró.

—No, gracias — dijo ella.

—Yo quiero café y un tabaco.

—Bien — dijo el camarero.

—Ah, y la cuenta, por favor.

—Sí señor.

—¿Vas a fumar?

—Sí — dijo él. Ella detestaba el tabaco.

—Lo haces a propósito.

—No, sabes que no. Lo hago porque me gusta.

—No es bueno hacer todo lo que a uno le gusta.

—A veces, sí.

—Y a veces, no.

La miró y sonrió. Ella no sonrió.

—Ahora me pesa — dijo ella.

—¿Por qué?

—¿Cómo que por qué? Porque me pesa. ¿Tú crees que todo es tan fácil?

—No — dijo él —. Al contrario, todo es difícil. Hablo en serio. La vida es un trabajo difícil.

—Vivir es difícil — dijo ella. Sabía por dónde venía. Había vuelto a lo mismo. Al principio no hablaba más que de la muerte, todo el día, siempre. Luego él la había hecho olvidar la idea de la muerte. Pero desde ayer, desde anoche exactamente, ella había vuelto a hablar de la muerte. No era que a él le molestase como tema, pero no le interesaba más que como tema literario y aunque pensaba mucho en la muerte, no le gustaba hablar de ella. Sobre todo con ella.

—Lo que es fácil es morir — dijo ella, finalmente. «Ah, ya llegó», pensó él y miró a la calle. Todavía llovía. «Igual que en *Rashomon*», pensó. «Sólo hace falta que aparezca un viejo japonés diciendo: No lo comprendo, no lo comprendo...»

—No lo comprendo — terminó diciendo en voz alta.

—¿Qué cosa? — preguntó ella —. ¿Que no le temo a la muerte? Siempre te lo he dicho.

Sonrió.

—Te pareces a la Mona Lisa — dijo ella —. Siempre sonriendo.

Miró sus ojos, su boca, el nacimiento de sus senos — y recordó. Le gustaba recordar. Recordar era lo mejor de todo. A veces creía que no le interesaban las cosas más que para poder recordarlas luego. Como esto: este momento exactamente: sus ojos, las largas pestañas, el color amarillo de aceite de sus ojos, la luz reflejada en el mantel que tocaba su cara, sus ojos, sus labios: las palabras que salían de ellos, el tono, el sonido bajo y acariciante de su voz, sus dientes, la lengua que a veces llegaba hasta el borde de la boca y se retiraba rápida: el murmullo de la lluvia, el tintineo

123

de las copas, de los platos, de los cubiertos, una música distante, irreconocible, que llegaba de ninguna parte: el humo del tabaco: el aire húmedo y fresco que venía del parque: le apasionaba la idea de saber cómo recordaría exactamente este momento.

Había terminado. Todo estaba allí. Como estaba todo lo de anoche.

—Nos vamos — dijo.

—Todavía llueve — dijo ella.

—Va a llover toda la tarde. Ya son las tres. Además el carro está ahí mismo.

Corrieron hasta el auto y entraron. Él sintió que le sofocaba la atmósfera dentro del pequeño automóvil. Se ubicó con cuidado y encendió el motor.

Pasaron y quedaron detrás las estrechas, torcidas calles de La Habana Vieja, las casas viejas y hermosas, algunas destruidas y convertidas en solares vacíos y asfaltados para parqueo, los balcones de complicada labor de hierro, el enorme, sólido y hermoso edificio de la aduana, el Muelle de Luz y la Alameda de Paula, hecha un pastiche implacable, y la iglesia de Paula, con su aspecto de templo romántico a medio hacer y los trozos de muralla y el árbol que crecía sobre uno de ellos y Tallapiedra y su olor a azufre y cosa corrompida y el Elevado y el castillo de Atarés, que llegaba desde la lluvia, y el Paso Superior, gris, de hormigón, denso, y el entramado de vías férreas, abajo, y de cables de alta tensión y alambres telefónicos, arriba, y finalmente la carretera abierta.

—Quisiera ver las fotos de nuevo — dijo ella, al cabo.

—¿Ahora?

—Sí.

Él sacó su cartera y se la alargó. Ella miró en silencio las fotos. No dijo nada cuando devolvió la cartera. Luego, después que dejaron la carretera y entraron al camino, dijo:

—¿Por qué me las enseñaste?

—Hombre, porque las pediste — respondió él.

—No me refiero a ahora — dijo ella.

—¡Ah! No sé. Supongo que fue un pequeño acto de sadismo.

—No, no fue eso. Fue vanidad. Vanidad y algo más. Fue tomarme por entero, asegurarte que era tuya más allá de todo: del acto, del deseo, de los remordimientos. De los remordimientos sobre todo.

—¿Y ahora?

—Ahora vivimos en pecado.

—¿Nada más?

—Nada más. ¿Quieres algo más?

—¿Y los remordimientos?

—Donde siempre.

—¿Y el dolor?

—Donde siempre.

—¿Y el placer?

Se trataba de un juego. Ahora se suponía que ella debía decir dónde residía el placer exactamente, pero ella no dijo nada. Él repitió:

—¿Y el placer?

—No hay placer — dijo ella —. Ahora vivimos en pecado.

Él corrió un poco la cortina de hule y arrojó el tabaco. Luego le indicó:

—Abre la gaveta.

Ella lo hizo.

—Saca un libro que hay ahí.

Ella lo hizo.

—Ábrelo por la marca.

Ella lo hizo.

—Lee eso.

Ella vio que en letras mayores decía: «Neurosis y sentimiento de culpabilidad». Y cerró el libro y lo devolvió a la gaveta y la cerró.

—No tengo que leer nada para saber cómo me siento.

—No — dijo él —. Si no es para saber cómo te sientes, sino por qué te sientes así.

—Yo sé bien por qué me siento así y tú también.

Él se rio.

—Claro que lo sé.

El pequeño automóvil saltó y luego desvió a la derecha.

—Mira — dijo él.

Delante, a la izquierda, por entre la lluvia fina, apareció deslumbrante un pequeño cementerio, todo blanco, húmedo, silvestre. Había en él una simetría aséptica que nada tenía que ver con la corrupción y los gusanos y la peste.

—¡Qué bello! — dijo ella.

Él aminoró la marcha.

—¿Por qué no nos bajamos y paseamos por él un rato?

La miró fugazmente, con algo de burla.

—¿Sabes qué hora es? Son las cuatro ya. Vamos a llegar cuando se haya acabado la fiesta.

—¡Ah, eres un pesado — dijo ella refunfuñando.

Ésa era la segunda parte de su personalidad: la niña. Era un monstruo mitad mujer y mitad niña. «Borges debía incluirla en su zoología», pensó. «La hembra niña. Al lado del catoblepas y la anfisbena.»

Vio el pueblo y en una bifurcación, detuvo el auto.

—Me hace el favor, ¿dónde queda el stadium? — preguntó a un grupo y dos o tres le ofrecieron la dirección, tan detallada que supo que se perdería. Una cuadra más allá le preguntó a un policía, que le indicó el camino.

—¡Qué servicial es todo el mundo aquí! — dijo ella.

—Sí. Los de a pie y los de a caballo. Los villanos

siguen siendo serviciales con el señor feudal. Ahora la
máquina es el caballo.

—¿Por qué eres tan soberbio?

—¿Yo?

—Sí, tú.

—No creo que lo sea en absoluto. Simplemente, sé
lo que piensa la gente y tengo el coraje de decirlo.

—El único que tienes...

—Quizás.

—No, sin quizás. Tú lo sabes...

—Está bien. Yo lo sé. Te lo dije desde el principio.
Ella se volvió y lo miró detenidamente.

—No sé cómo te quiero siendo tan cobarde — dijo.
Habían llegado.
Corrieron bajo la lluvia hasta el edificio. Al principio pensó que no habría nada,: porque no vio — por
entre unos ómnibus urbanos y varios autos — más que
muchachos vestidos de pelotero, y la lluvia no dejaba
oír. Cuando entró, sintió que había penetrado en un
mundo mágico:

> había cien o doscientos negros vestidos de blan-
> co de pies a cabeza: camisas blancas y panta-
> lones blancos y medias blancas y la cabeza cu-
> bierta con gorros blancos que les hacían pare-
> cer un congreso de cocineros de color y las mu-
> jeres también estaban vestidas de blanco y en-
> tre ellas varias blancas de piel blanca y baila-
> ban en rueda al compás de los tambores y en
> el centro un negro grande ya viejo pero todavía
> fuerte y con espejuelos negros de manera que
> sólo se veían sus dientes blancos como parte
> también de la indumentaria ritual y que golpea-
> ba el piso con un largo bastón de madera que
> tenía tallada una cabeza humana negra en el
> puño y con pelo de verdad y era el juego de

estrofa y antistrofa y el negro de espejuelos negros gritaba *olofi* y se detenía mientras la palabra sagrada rebotaba contra las paredes y la lluvia y repetía *olofi* y cantaba luego *tendundu kipungulé* y esperaba y el coro repetía *olofi olofi* y en la atmósfera turbia y rara y a la vez penetrada por la luz fría y húmeda el negro volvía a cantar *nani·masongo silanbasa* y el coro repetía *nani masongo silanbasa* y de nuevo cantaba con su voz ya ronca y levemente gutural *sese maddié silanbaka* y el coro repetía *sese maddié silanbaka* y de nuevo

Ella se pegó a él y susurró al oído:

—¡Qué tiro!

«La maldita jerga teatral», pensó él, pero sonrió, porque sintió su aliento en la nuca, la barbilla descansando en el hombro.

el negro cantaba *olofi* y el coro respondía *olofi* y él decía *tendundu kipungulé* y el coro repetía *tendundu kipungulé* y mientras marcaban el ritmo con los pies y sin dejar de dar vueltas formando un corro apretado y sin sonreír y sabiendo que cantaban a los muertos y que rogaban por su descanso y la paz eterna y al sosiego de los vivos y esperaban que el guía volviese a repetir *olofi* para repetir *olofi* y comenzar de nuevo con la invocación que decía *sese maddié.*

—Olofi es Dios en lucumí — le explicó él a ella. Ella sonrió.

—¿Qué quiere decir lo demás?

«¡Si casi no lo sé lo que quiere decir Olofi!», pensó.

—Son cantos a los muertos. Les cantan a los muertos para que descansen en paz.

Los ojos de ella brillaban de curiosidad y excitación. Apretó su brazo. La rueda iba y venía, incansable. Había jóvenes y viejos. Un hombre llevaba una camisa blanca, toda cubierta de botones blancos al frente.

—¡Mira! — dijo ella a su oído —. Ése tiene más de cien botones en la camisa.

—Ssu —dijo él, porque el hombre había mirado.

silanbaka bica dioko bica ñdiambe y golpeaba rítmicamente el bastón contra el suelo y por los brazos y la cara le corrían gruesas gotas de sudor que mojaban su camisa y formaban parches levemente oscuros en la blancura inmaculada de la camisa y el coro volvía a reptir *bica dioko bica ñdiambe* y en el centro junto al hombre otros jerarcas bailaban y repetían las voces del coro y cuando el negro de los espejuelos negros susurró ¡que la cojan! uno a su lado entonó *olofi sese maddié sese maddié* y el coro repitió *sese maddié sese maddié* mientras el negro de los espejuelos negros golpeaba contra el piso su bastón y a la vez enjugaba el sudor con un pañuelo también blanco.

—¿Por qué se visten de blanco? — preguntó ella.

—Están al servicio de Obbatalá, que es el dios de lo inmaculado y puro.

—Entonces yo no puedo servir a Obbatalá — dijo ella, bromeando.

Pero él la miró con reproche y dijo:

—No digas tonterías.

—Es verdad. No son tonterías.

Lo miró y luego al volver su atención a los negros, dijo, quitándole toda intención a lo que había dicho antes:

—De todas maneras, no me quedaría bien. Yo

129

soy muy blanca para vestirme de blanco.

y a su lado otro negro se llevaba rítmicamente y con algo indefinido que rompía el ritmo y lo desintegraba los dedos a los ojos y los abría desmesuradamente y de nuevo volvía a señalarlos y acentuaba los movimientos lúbricos y algo desquiciados y mecánicos y sin embargo como dictados por una razón imperiosa y ahora el canto repercutía en las paredes y se extendía *olofi olofi sese maddié sese maddié* por todo el local y llegaba hasta dos muchachos negros con uniformes de pelotero y que miraban y oían como si todo aquello les perteneciese pero no quisieran recogerlo y a los demás espectadores y ahogaba el ruido de las botellas de cerveza y los vasos en el bar del fondo y bajaba la escalinata que era la gradería del estadio y saltaba por entre los charcos formados en el terreno de pelota y avanzaba por el campo mojado y entre la lluvia llegaba a las palmeras distantes y ajenas y seguía hasta el monte y parecía como si quisiese elevarse por encima de las lomas lejanas y escalarlas y coronar su cima y seguir más alto todavía *olofi olofi bica dioko bica dioko ñdiambe bica ñdiambe ñdiambe y olofi y olofi y olofi* y más *sese maddié* y más *sese maddié* y más *sese* y más *sese*

—A ése le va a dar el santo — dijo él señalando al mulato que llevaba sus dedos a los ojos botados.

—¿Y le da de verdad? — preguntó ella.

—Claro. No es más que un éxtasis rítmico, pero no lo saben.

—¿Y me puede dar a mí?

Y antes de decirle que sí, que a ella también podía ocurrirle aquella embriaguez con el sonido, temió que ella se lanzase a bailar y entonces le dijo:

—No creo. Esto es cosa de ignorantes. No para gente que ha leído a Ibsen y a Chéjov y que se sabe a Tennessee Williams de memoria, como tú.

Ella se sintió levemente halagada, pero le dijo:

—No me parecen ignorantes. Primitivos, sí, pero no ignorantes. Creen. Creen en algo en que ni tú ni yo podemos creer y se dejan guiar por ello y viven de acuerdo con sus reglas y mueren por ello y después les cantan a sus muertos de acuerdo con sus cantos. Me parece maravilloso.

—Pura superstición — dijo él, pedante —. Es algo bárbaro y remoto y ajeno, tan ajeno como África, de donde viene. Prefiero el catolicismo, con toda su hipocresía.

—También es ajeno y remoto — dijo ella.

—Sí, pero tiene los evangelios y tiene a San Agustín y Santo Tomás y Santa Teresa y San Juan de la Cruz y la música de Bach...

—Bach era protestante — dijo ella.

—Es iguál. Los protestantes son católicos con insomnio.

Ahora se sentía más aliviado, porque se sentía ingenioso y capaz de hablar por encima del murmullo de los tambores y las voces y los pasos, y porque había vencido el miedo de cuando entró.

y *sese* y más *sese* y *olofi sese olofi maddié olofi maddié maddié olofi bica dioko bica ñdiambe olofi olofi silanbaka bica dioko olofi olofi sese maddié maddié olofi sese sese* y *olofi* y *olofi olofi*

La música y el canto y el baile cesaron de golpe, y ellos vieron cómo dos o tres negros agarraron por los brazos al mulato de los ojos desorbitados, impidiéndole que golpeara una de las columnas con la cabeza.

—Ya le dió — dijo él.

—¿El santo?

—Sí.

Todos lo rodearon y lo llevaron hasta el fondo de la nave. Él encendió dos cigarrillos y le ofreció uno a ella. Cuando terminó de fumar y llegó hasta el muro y arrojó al campo mojado la colilla, vio a la negra, que venía hacia ellos.

—Me permite, caballero — dijo ella.

—Cómo no — dijo el hombre, sin saber qué era lo que tenía que permitir.

La anciana negra se quedó callada. Podía tener sesenta o setenta años. «Pero nunca se sabe con los negros», pensó él. Su cara era pequeña, de huesos muy delicados y de piel reluciente y con múltiples y menudas arrugas alrededor de los ojos y de la boca, pero tirante en los pómulos salientes y en la aguda barbilla. Tenía unos ojos vivos y alegres y sabios.

—Me permite el caballero — dijo ella.

—Diga, diga — dijo él y pensó: «Usted verá que ahí viene la picada».

—Yo desearía hablar con la señorita — dijo ella. «Ah, cree que ella es más sensible al sablazo. Hace bien, porque yo soy enemigo de toda caridad. No es más que la válvula de escape de los complejos de culpa que crea el dinero», fue lo que pensó antes de decir: —Sí, ¡cómo no! — y antes de retirarse un poco y mucho antes de preguntarse, inquieto, qué querría la vieja en realidad.

Vio que ella, la muchacha, escuchaba atentamente, primero y que luego bajaba los ojos atentos de la cara de la negra vieja para mirar al suelo. Cuando terminaron de hablar, se acercó de nuevo.

—Muchas gracias, caballero — dijo la vieja.

Él no supo si tenderle la mano o inclinarse ligeramente o sonreír. Optó por decir:

—Por nada. Gracias a usted.

La miró y notó que algo había cambiado.

—Vámonos — dijo ella.

—¿Por qué? Todavía no ha acabado. Es hasta las seis. Los cantos duran hasta la puesta de sol.

—Vámonos — repitió ella.

—¿Qué es lo que pasa?

—Vámonos, *por favor*.

—Está bien, vámonos. Pero antes dime qué es lo que pasa. ¿Qué ha pasado? ¿Qué te ha dicho la negrita esa?

Ella lo miró con dureza.

—La *negrita esa*, como tú dices, ha vivido mucho y sabe mucho y si te interesa enterarte, acaba de darme una lección.

—¿Sí?

—¡Sí!

—¿Y se puede saber qué te ha dicho la pedagoga?

—Nada. Simplemente me ha mirado a los ojos y con la voz más dulce, más profunda y más enérgicamente convincente que he oído en mi vida, me ha dicho: «Hija, deja de vivir en pecado». Eso es todo.

—Parca y profunda la anciana — dijo él. Ella arrancó a caminar hasta la puerta, abriéndose paso con su gentileza por entre los grupos de santeros, tamboreros y feligreses. La alcanzó en la puerta.

—Un momento — dijo él —, que tú has venido conmigo.

Ella no dijo nada y se dejó tomar del brazo. Él abría la máquina cuando se acercó un muchacho y dijo:

—Docto, por una apucjta, ¿qué carro e ése? ¿Alemán?

—No, inglés.

—No e un renául, ¿veddá?

—No, es un MG.

—Ya yo desía — dijo el muchacho con una sonrisa de satisfacción, y se volvió al grupo de donde había salido.

«Como siempre», pensó él. «Sin dar las gracias. Y son los que tienen más hijos.»

Había escampado y hacía fresco y condujo con cuidado hasta encontrar la salida a la carretera. Ella no había dicho nada más y cuando él miró, vio que estaba llorando, en silencio.

—Voy a parar para bajar el fuelle — dijo.

Se echó a un lado de la carretera y vio que se detenía junto al breve cementerio. Cuando bajó la capota y la fijó detrás de ella, tuvo intención de besar su nuca desnuda, pero sintió que desde ella subía un rechazo poderoso.

—¿Estabas llorando? — le preguntó.

Ella levantó la cara y le mostró los ojos, sin mirarlo. Estaban secos, pero brillaban y tenían un toque rojo en las comisuras.

—Yo nunca lloro, querido. Excepto en el teatro.

Le dolió y no dijo nada.

—¿Dónde vamos? — le preguntó.

—A casa — dijo ella.

—¿Tan definitiva?

—Más definitiva de lo que puedas pensar — dijo ella. Entonces abrió la guantera, sacó el libro y se volvió hacia él.

—Toma — dijo, a secas.

Cuando miró, vio que ella le alargaba los dos retra-

134

tos — el de la mujer con una sonrisa y los ojos serios, y el del niño, tomado en un estudio, con los ejos enormes y serios, sin sonreír — y que él los aceptaba maquinalmente.

—Están mejor contigo.

—Sí, sí, General. Todo en orden. Mi sistema. Claro, en guerra avisada... Los dejamos que entraran, primero un camión, luego otro. ¿Cómo dise? Eso se creían ellos, pero fuimos nosotros los que los sorprendimos. Yo quisiera que usté lo hubiera visto. Los camiones *entraro mansamente, como ovejitas, despasito-despasito y cuando estaban en el patio les caímos arriba. Tiramos sobre las casetas de los camiones, los toldos, la cama del camión. Debajo de los toldos se movían y cuando las balas le pegaban, saltaban y se veía que las balas daban en carne. Sí, sí... Perfectamente. Lo hiso muy bien y yo fui el primero en felisitarlo. Yo opino lo mismo que usté. Sí teniente sí. No, no, primer teniente. ¿A comandante? ¿Usté cré, General? Me parese esesivo. Hombre, claro que el hombre ha prestado un mannífico servisio a la Nasión, que su labor fue perfeta. Pero yo creo que estaría bien de capitán. Porque después de todo él no hiso más que avisarnos de que venían, como era su deber y ni siquiera pelió. Personalmente yo creo que es un cobarde. Estaba asustado con la sangre y hasta vomitó y todo porque vio unos sesos regados en el suelo. Un maricón. Sí, sí, claro General. Si usté insiste. ¿Cómo? Hombre, General, francamente... No, no, de veras que no lo esperaba, no esperaba un asenso. Me hubiera conformado con ser coronel toda la vida... Usté sabe que yo me debo a usté y a la patria... Pero de todas maneras, muchas grasias... Oh, no, no. No tengo ninguna oposisión y retiro lo dicho. Si usté cré que debe ser asendido a comandante, no hay más que hablar. Yo mismo le pondré su estrellita.*

CUANDO SE ESTUDIA GRAMÁTICA

Al oír la chicharra, Silvestre empujó la puerta y entró. Subió la escalera en penumbras y al llegar al descanso y mirar a arriba vio a Mariella sonriente.

—Creí que ya no venías — dijo ella.

—Nada. La maldita guagua. No había manera que pasara una trentidós.

—Si salieras más temprano de la casa no te pasaría eso.

—Llegaría tarde de todos modos — dijo él.

Ella se hizo a un lado y él pasó a la sala. Siempre que llegaba a la amplia sala de mosaicos blancos y negros le asaltaba la misma sensación de molestia inexplicable. Claro que él no sabía que los muebles de pesante estilo Renacimiento español, el gigantesco Corazón de Jesús de la pared del fondo, la lámpara de falsas lágrimas y los múltiples búcaros, jarrones y figuritas de porcelana y yeso le golpeaban con su infinito mal gusto. Solamente le alcanzaba una vaga desazón.

—A donde sí vamos a llegar tarde nosotros es al aprobado si seguimos así — dijo ella.

—Bah, no te preocupes. Siempre sacamos las asignaturas, ¿no?

—Hasta ahora, sí. Pero este Español II está duro, no creas.

—La sacaremos, no te ocupes.

Notó el silencio de la casa.

—¿Y la gente?

—Mami salió con Cuca.

Mami era la madre de Mariella, Cuca era la criada. La madre de Mariella se había divorciado hacía unos cinco años y la madre y la hija vivían solas en la casa grande, sin otra compañía que una criada, ya vieja. La madre de Mariella tendría unos treinta y cinco años y era una mujer muy bella, más bella que la mujer que estaba en el retrato del hall, que era la madre de Mariella cuando tenía veinte años. La madre de Mariella era una mujer alta, hermosa. Tenía los ojos verdes y muy grandes y el pelo negro y largo, en su cara había algo duro, masculino, que no dejaba de hacerla más atractiva. En cuanto a Mariella, Mariella era otra cosa.

Ahora Silvestre la estaba mirando mientras disponía los balances en la terraza, ordenaba los libros, agrupaba los lápices dentro de un pote de barro y alistaba las libretas de notas. Mariella tenía quince años, pero muy bien podía decir que era mayor. No era alta ni baja y sin embargo no era proporcionada. Tenía las piernas largas, redondas y levemente gruesas, y eran lo más importante de su cuerpo. Su talle era corto y sus senos abultaban bastante bajo la blusa blanca que llevaba ahora, la que hacía resaltar su rostro moreno y su pelo negro. Por debajo de la amplia saya se adivinaban sus caderas ya marcadas.

—¿Por qué traes el uniforme? — preguntó él.

—Mami. Salí con ella a almorzar en casa de una tía de Papi y se empeñó que fuera de uniforme. ¿Qué pasa? Si quieres me lo quito.

—No, no. ¿Para qué? Te ves muy bien así.

Ella hizo una reverencia en broma y dijo, afectando melosidad:

—Muuuchas graciasss.

Todavía dentro de Mariella había una niña.

—¿Repasamos? — preguntó ella.

—Cuando quieras — dijo él.

Comenzaron a leer una y otra vez un trozo gramatical y cuando decidieron que habían leído bastante, Mariella dijo:

—Dilo ahora.

—¿Todo?

—Sí, todo.

—No voy a poder.

—Bueno, hasta donde puedas. Yo te ayudo.

—Bueno ...Los pronombres relativos... A. Si dijésemos: de una dama era galán un vidriero y ese vidriero vivía en Tremecén, enunciaríamos dos oraciones independientes coo — lo pensó un instante — coordinadas, cuyo sujeto, obrero...

—*Vidriero*...

—Vidriero. ¿Y de qué manera se ganará la vida un vidriero en Tremecén?

—Ah, yo no sé. Vamos, sigue.

—A lo mejor por la noche se dedica a romper los cristales de las ventanas con un tiraflechas...

—Vamos, amor, sigue.

—O a lo mejor vive de la dama que es galán.

—Ah, mi vida, vamos: sigue.

—¿Se te fue o lo dijiste? — preguntó Silvestre.

—¿Qué cosa? — preguntó ella.

—Lo de amor y lo de vida.

—Lo dije — dijo ella.

Silvestre la miró sonriente, con alguna picardía en sus ojos todavía adolescentes.

—¿Qué te parece si yo fuera vidriero en Tremecén?

—Que no te encargaba un solo trabajo.

—Ah, sí. Bueno, pues decepcionado porque no eres mi dama y además eres mala clienta, me suicido moliendo una vidriera y echando el vidrio molido en dulceguayaba.

Ella se rió a pesar suyo. Luego se puso seria.

—Vamos, viejo, continúa.

—Viejo, no, vidriero.

—Bueno, sigue, por favor.

—Bien... Obrero...

—*Vidriero.*

—Perdón, vidriero... Vidriero lleva en la primera el artículo un por ser... por ser... por ser...

—Por ser indeterminado. ¿Ves? No te la sabes. ¿Estudiaste en casa por la mañana?

—Bueno, no mucho.

—*Bueno no mucho...* ¿Pues sabes lo que va a pasar?

—No. ¿Qué cosa?

—Que te van a suspender.

—*Nos* van.

—No, nos van no. *Te* van. Porque *yo* me sé la lección completica.

—Ah, ¡de manera que estudiando a mis espaldas? Eso sí está bueno.

—A tus espaldas no, frente a tí. Ayer, cuando te pasaste toda la tarde leyendo las revistas de Mami, yo estudiaba.

—Bueno, pues vamos a ver si es verdad. Dime esa parte.

—Qué fresco. Lo haces para no tomarte el trabajo de decirla tú.

—Y tú lo haces porque no te la sabes. Dila tú, vamos a ver.

—Está bien.

Ella comenzó a recitar la lección con la fidelidad de una poetisa provinciana y casi con la misma entonación. La dijo toda de arriba a abajo y luego conminó a Silvestre a que le hiciera preguntas. Cuando terminaron había pasado una hora.

—¿Qué tal si comemos algo? — preguntó ella.

—No me parece mal.

Ella trajo galleticas y refrescos.

—¿Por qué no comemos en la sala? Los asientos son más cómodos.

—Está bien.

Entraron. Silvestre se apoltronó en un butacón de

felpa y Mariella se acercó al sofá, puso las botellas y los vasos en la mesita contigua y luego se acostó. Silvestre comía en silencio y miraba las largas, tersas piernas de Mariella. De pronto se puso en pie y cerró el ventanal que se abría sobre la terraza.

—¿Qué haces? — preguntó ella, casi incorporándose.

—Nada — dijo él, volviendo a sentarse —. Había demasiada claridad.

Ahora miraba los pocos rayos de sol que se colaban por las persianas, iluminando la sala con una luz suave, lenta. La sala había adquirido otro aspecto, desdibujados los retorcidos contornos de los muebles, indiscernible ahora el retrato de Jesús, atenuada la agresividad lustrosa de los objetos de porcelana.

—Ponte de pie — dijo Silvestre tan inesperadamente como había ido a cerrar la ventana.

—¿Para qué? Estoy *muy* cómoda así.

—Ponte de pie — repitió él.

—Pero, ¿para qué? — dijo ella.

—*Ponte* de pie.

Ella lo hizo.

—Camina hasta el centro.

Caminó hasta el centro.

—¿Qué es esto? — preguntó ella intrigada —. Un *fashion show*.

—No, al revés.

—No te entiendo — dijo ella.

—Ya me entenderás — dijo él. La voz se le enronqueció: — Quítate la ropa.

Ella saltó. No físicamente, pero algo dentro de ella saltó.

—*Cómo*.

—Que te quites la ropa.

—¿En serio?

—Sí, en serio.

142

—¿Para qué?

—Para nada. Quiero verte desnuda.

—Así como así.

—Sí, quiero verte desnuda. Eso es todo.

Ella lo miró un instante. Luego comenzó a quitarse la ropa, su cara de una seriedad casi cómica ahora. Se quitó la blusa blanca y dejó ver los ajustadores rosados. Luego se quitó la falda también blanca y mostró una saya interior igualmente blanca.

Lo miró.

—¿Así?

—No, toda.

Dejó caer hasta el suelo la saya interior y ahora estaba en pantalones y ajustadores.

Volvió a mirarlo.

—¿Así?

—No, toda.

—¿Más?

—Sí, más. *Toda.*

Se llevó ambas manos a la espalda y desabotonó el sostén, que prácticamente saltó, dejando los senos desnudos. Después se bajó el pantalón y sacó una pierna y luego otra. Ahora estaba completamente desnuda.

Él la miró. Ella tuvo intención de cubrirse con las manos, pero por alguna causa no lo hizo.

—¿Ya? — preguntó ella.

—Sí — dijo él —. Ponte la ropa de nuevo.

Ella recogió la ropa del suelo y corrió desnuda — ahora él vio que no se había quitado los zapatos — hacia adentro.

Cuando regresó venía vestida con un vestido color azul violeta.

—¿Y ahora? — preguntó ella.

—Ahora vamos a seguir estudiando — dijo él.

En la calle todo estaba tranquilo y la calma se extendía más allá de la esquina y llegaba hasta los curio-
sos que miraban con la misma curiosidad, con la misma
alejada indiferencia, con temerosa apatía cuando salieron armados, cuando montaron en el auto, todavía

cuando partieron. El primer auto rodó seguido del se-
gundo auto hasta dos cuadras más arriba y dobló a la
derecha suavemente, y al doblar, el sol brilló sobre el
capó y el muchacho gordo, pálido, entrecerró los ojos
y pensó que sería bueno tener espejuelos oscuros para
protegerse del sol. La perseguidora apareció por entre
la luz y la máquina frenó casi junto a ella. El cristal
saltó en finas gotas vidriadas y la bala fue a estrellarse
contra el techo, dejando un hueco regular en el para-
brisas. Los otros pasajeros abandonaron la máquina,
pero el muchacho gordo y blanco comenzó a disparar
antes de salir, se movió con continuada agilidad y co-
rrió hacia la perseguidora y disparó dentro y ésa era
la última bala que tiraría: la pistola había quedado
descargada, pero no era ésa la causa de que fuera su
último disparo. El muchacho pálido y gordo, entrecerró
los ojos, giró sobre sí mismo y cayó al suelo, en una
postura improbable: la mejilla derecha contra el pavi-
mento, el brazo derecho bajo el cuerpo y el izquierdo
extendido hacia atrás, con la palma hacia arriba. La
sangre saltó brusca y corrió por su cara y su pelo y se
estancó bajo su cabeza, formando un charco.

Así en la paz..., 10

JAZZ

Cuando volví a ver a Gianni en *El Jardín* creí que no me reconocería. Pero me reconoció bien. Me lo habían presentado una semana antes en una exposición. Me preguntó qué me parecían los cuadros y yo le dije, con franqueza, que pura mierda. Se rió.

—Ésa es una palabra que no tiene en italiano la fuerza que tiene en español — dijo.

—O en francés — dije yo.

—Sí. O en francés.

Había nacido en Italia y luego sus padres se habían mudado para el sur de Francia y ahora era francés. O mejor dicho: ahora no se sabía lo que era, porque estaba aquí y hablaba muy bien el español y no parecía francés ni italiano. Su padre tenía una buena *trattoria* y una mejor clientela. Él se había quedado en Francia cuando su familia emigró a acá, pero luego tuvo que salir él también, huyéndole al servicio militar. Tenía unas ideas muy precisas de lo que era el servicio obligatorio y del papel que tendría que desempeñar en Argelia, matando gente que se parecían a él entonces como ahora se parecía él a mí.

Esta segunda vez todavía llevaba la misma revista surrealista bajo el brazo y tomaba un cubalibre, despacio y a través de una pajita, lo que resultaba bastante chocante. Hablamos. Aparte los comentarios de política internacional y una decidida antipatía por de Gaulle, teníamos otro interés común: el jazz. Yo había dejado de oír toda otra música por el jazz y mi hermana y mis amigos me jugaban bromas de lo lindo por ello.

—¿Cómo van los discos? — me preguntó.

—Bien — le dije —. Los discos bien. El que anda mal soy yo, que no he podido comprar ninguno más porque el viejo se niega a darme un centavo para discos. Dice que es una nueva locura y que pronto me voy a cansar de ellos como me cansé de la tumbadora, de la cámara fotográfica y de los libros de reproducciones.

—¿Y tiene razón?

—Es posible — le dije y se sonrió con su sonrisa sana y ajena.

Luego vinieron otros amigos de él y míos y cuando salimos del café era más de la una. Decidí acompañarlo a su casa y coger allá el autobús. Al llegar me dijo:

—¿Quieres comer algo, Silvestre?

Le dije que me daba lo mismo y como si hubiera aceptado con entusiasmo me abrió la puerta del restorán y pasamos a la cocina. ¡De veras que cocinan bien los italianos! Yo no sé cómo se las arreglan para hacer una comida tan variada con un mismo elemento: la pasta. Estuvimos mordisqueando el salami, unas lascas de gorgonzola, aceitunas, y me sirvió un poco de *timballo di maccaroni*, frío. Luego subimos a su casa.

Cuando entramos me rogó que no hiciéramos ruido, porque sus padres dormían al fondo. Me sorprendió ver que los muebles de la casa no se diferenciaban mucho de los de casa, pero que, sin embargo, aquella sala tenía un definido aire europeo. Había unas reproducciones de Utrillo casi idénticas en su perfección a las que había en casa de Cézanne y un fino mantel en la mesa de centro, una o dos mesitas bajas y en un rincón, un tocadiscos.

—¿Qué quieres oír? — me preguntó.

—No sé — le dije y en realidad no sabía. Era un poco tarde para oír cualquier cosa, ni siquiera jazz que es una música de medianoche.

—¿Tú conoces a Miles Davis? — me preguntó.

Yo no lo conocía entonces, pero de haberlo conocido no lo habría reconocido en su pronunciación. Si hay algún idioma que nunca habla bien un europeo del continente — francés, italiano o español — es el inglés.

—No. ¿Quién es?

—Es un trompeta formidable. Para mí es el músico más importante que hay hoy en día en el jazz.

—¿Mejor que Gillespie?

—Dizzy es otra cosa. Tiene un gran sentido del humor y es un músico con mucho *swing* y mucho ritmo. Pero Davis es un músico de hoy.

Yo he comprado mis discos de jazz con un criterio histórico. Por supuesto que me he guiado más por los libros de crítica que por mi gusto, pero tengo una colección que está bien equilibrada, históricamente hablando. Tengo a Blind Lemmon Jefferson y Ma Rayney y Louis Armstrong y Duke Ellington y a Benny Goodman — a quien no considero un jazzista particularmente, pero que tiene uno o dos discos logrados — y a Cootie Williams y sobre todo a un músico que es mi favorito, aunque no toque mi instrumento preferido: Charlie Parker. Me acordé de Armstrong.

—¿Y Armstrong?

—Eso es prehistoria — me dijo —. Está bien, para su tiempo, pero la música que se siente de veras, la que llega dentro y por la que se expresa el músico, es el jazz moderno. Llámalo *cool* — pronunció c-o-o-l — o como te dé la gana.

Se dio cuenta que hablábamos muy alto.

—Bueno, está bien de discusión y vamos a oír a Davis.

Puso «Round 'Bout Midnight» que desde entonces se ha convertido en mi disco favorito. Sobre todo la interpretación que hace Miles Davis de «All of you». Comencé a oír aquellos extraños lamentos, estirados, elásticos. La trompeta, tocada con sordina y muy cerca del micrófono, sonaba anestesiada, como envuelta en algodones empapados en éter y la música se escurría por el cuarto pegajosa, cálida. Oímos en silencio.

Cuando empezó la rápida «Ah-leu-cha», Gianni fue adentro. Regresó con dos vasos mediados de ron y una botella de «Cawy».

—¿Qué es eso? — le pregunté.

—Ron con «Cawy».

—¿Y es bueno?

—Pruébalo — me dijo.

Lo probé. No sabía mal. Me sonreí.

—¿De qué te ríes?

—De que un europeo me venga a mí a enseñar cómo tomar ron.

Me miró significativamente y me dijo:

—A un niño se le pueden enseñar muchas cosas.

—Yo no soy un niño.

—¿No?

—No — le respondí serio.

—Pues lo pareces — me dijo sonriendo una sonrisa torcida.

—Tal vez. Pero no lo soy.

Se sonrió más. Me molestaba su sonrisa.

—Está bien. No te pongas bravo — dijo. No dijo exactamente eso, pero era eso más o menos lo que quiso decir.

Seguimos oyendo el disco y cuando acabó «All of you», le dio vuelta y empezó a sonar «Bye-bye, Blackbird», que no sé porqué me recuerda a Poe. Quizá sea por el pájaro negro y por «El Cuervo».

Pasó un rato y yo noté algo extraño en Gianni, tan extraño como su sonrisa. De pronto comencé a pensar que si no sería un homosexual disfrazado y pensé que si su familia estaría o no en la casa. Ya una vez me había ocurrido una experiencia desagradable con un individuo que me invitó a su casa a oír ópera. Era un

tipo con la cara llena de barros y muy miope. Tenía
por lo menos diez mil discos de ópera en un pequeño
cuarto que cerraba a cal y canto. Me puso unas cuantas
arias y entre ellas un vals. ¿Y a que ustedes no saben
lo que hizo el tipo? Se acercó y me dijo (le vi las espi-
nillas tan cerca que pensé que si una se reventaba en
ese momento me caería el pus en los ojos), muy me-
loso: «¿Quieres bailar conmigo?»

Lo recordaba ahora viendo a Gianni, desesperado
por decirme algo que o era muy embarazoso o era muy
extraordinario. Entonces ocurrió una cosa que recuerdo
con toda nitidez. Sacó del bolsillo una cajetilla de ci-
garros y dentro de ella extrajo una bolsita de tela.

—¿Quieres? — me preguntó. Todavía no compren-
día.

—¿Qué cosa?

—Algo que ayuda a oír el jazz.

—¿Qué cosa es?

—Mariguana.

Yo debí saltar en mi asiento, porque me dijo, sonriendo otra vez con su sonrisa sana:

—No te asustes, que no mata.

—No me asusta — le dije.

—¿No?

—No. Yo la he fumado ya — mentí.

—¿De veras? ¿Y qué efecto produce?

—A mí me dio mareos y vómitos.

—Pues no has fumado mariguana, porque la mariguana ni da mareos ni vómitos. Es exactamente como
la bebida, sólo que no hay despertar malo al día siguiente. ¿De veras que no quieres?

—No — me mantuve ahí.

—Bueno, ¿entonces no te importa que yo la fume?

—No — le dije, muy *blasé* —. No me importa.

En realidad estaba muerto de miedo. Pensaba en la
familia que dormía al fondo (ahora no tenía duda de

ello, porque oí un ronquido que debía pertenecer al padre), en la policía, en mis padres si se enteraban de esto.

—Puedes fumarla — le dije.

Entonces él, con mucha paciencia y mucho método, consiguió de alguno de sus bolsillos una libretica de papel de fumar — muy bonito, hecho en Barcelona — y tomó una hoja. La puso en sus piernas y vació un poco de una picadura gruesa, suelta, verde, en el papel blanco. Cerró la bolsita y enrolló la picadura con el papel. Finalmente, dobló rudimentariamente las puntas del rollito y tuvo un cigarrillo. Lo encendió y comenzó a fumar. Yo no sentía olor ni nada por el estilo. Pueda ser que hubiera sido el miedo o la sorpresa, porque insistí, muy ingenuamente, en preguntarle:

—¿Es mariguana de veras?

Me miró. Se sonrió con su sonrisa doblada. Me dijo, simplemente.

—Mi nombre es Gianni, no Zanni.

Zanni, en italiano, quiere decir bufón, cómico, payaso.

Cruzó la calle con su paso de atleta y se detuvo en la esquina. Era mediodía. El sol caía a plomo sobre el parque, sobre la calle, sobre su cabeza y el muchacho se detuvo más tiempo que el que hubiera necesitado en otra ocasión para pensar y actuar en seguida. Eso lo

perdió, porque por la calle soleada, brillando azul y
blanca, bajo la luz cegadora, vio venir la perseguidora.
Se quedó quieto: quizá no lo reconocieron. Pero la per-
seguidora chirrió y paró en seco. Los tres ocupantes ba-
jaron bruscos, brutales.

—*¡Tú! ¿Qué hases parado aquí?*

—*Nada. Espero la guagua.*

—*La guagua, ¿no? Ven acá, ¿tú no eres...?*

—*Sí, sí, ese mismo es. ¿Llamo?*

—*¡Pero en el atto!*

Cuando comunicaron con la planta, dijeron el nom-
bre. La voz del otro lado sonó violenta.

—*Cumpla la orden.*

—*Pero, General, está desarmado.*

—*Cumpla la orden que se le ha dado.*

—*Oiga, mi General...*

—*Que lo mate, ¡coño!*

El primer policía apretó la ametralladora y disparó
casi encima de la orden. El muchacho cayó. En el sue-
lo volvieron a dispararle. Pero por gusto.

ABRIL ES EL MES MÁS CRUEL

No supo si lo despertó la claridad que entraba por la ventana o el calor, o ambas cosas. O todavía el ruido que hacía ella en la cocina preparando el desayuno. La oyó freír huevos primero y luego le llegó el olor de la manteca hirviente. Se estiró en la cama y sintió la tibieza de las sábanas escurrirse bajo su cuerpo y un amable dolor le corrió de la espalda a la nuca. En ese momento ella entró en el cuarto y le chocó verla con el delantal por encima de los shorts. La lámpara que estaba en la mesita de noche ya no estaba allí y puso los platos y las tazas en ella. Entonces advirtió que estaba despierto.

—¿Qué dice el dormilón? — preguntó ella, bromeando.

En un bostezo él dijo: Buenos días.

—¿Cómo te sientes?

Iba a decir muy bien, luego pensó que no era exactamente muy bien y reconsideró y dijo:

—Admirablemente.

No mentía. Nunca se había sentido mejor. Pero se dio cuenta que las palabras siempre traicionan.

—¡Vaya! — dijo ella.

Desayunaron. Cuando ella terminó de fregar la loza, vino al cuarto y le propuso que se fueran a bañar.

—Hace un día precioso — dijo.

—Lo he visto por la ventana — dijo él.

—¿Visto?

—Bueno, sentido. Oído.

Se levantó y se lavó y se puso su trusa. Encima se echó la bata de felpa y salieron para la playa.

—Espera — dijo él a medio camino —. Me olvidé de la llave.

Ella sacó del bolsillo la llave y se la mostró. Él sonrió.

—¿Nunca se te olvida nada?

—Sí — dijo ella y lo besó en la boca —. Hoy se me había olvidado besarte. Es decir, despierto.

Sintió el aire del mar en las piernas y en la cara y aspiró hondo.

—Esto es vida — dijo.

Ella se había quitado las sandalias y enterraba los dedos en la arena al caminar. Lo miró y sonrió.

—¿Tú crees? — dijo.

—¿Tú no crees? — preguntó él a su vez.

—Oh, sí. Sin duda. Nunca me he sentido mejor.

—Ni yo. Nunca en la vida — dijo él.

Se bañaron. Ella nadaba muy bien, con unas brazadas largas, de profesional. Al rato él regresó a la playa y se tumbó en la arena. Sintió que el sol secaba el agua y los cristales de sal se clavaban en sus poros y pudo precisar dónde se estaba quemando más, dónde se formaría una ampolla. Le gustaba quemarse al sol. Estarse quieto, pegar la cara a la arena y sentir el aire que formaba y destruía las nimias dunas y le metía los finos granitos en la nariz, en los ojos, en la boca, en los oídos. Parecía un remoto desierto, inmenso y misterioso y hostil. Dormitó.

Cuando despertó, ella se peinaba a su lado.

—¿Volvemos — preguntó.

—Cuando quieras.

Ella preparó el almuerzo y comieron sin hablar. Se había quemado, leve, en un brazo y él caminó hacia la botica que estaba a tres cuadras y trajo picrato. Ahora estaban en el portal y hasta ellos llegó el fresco y a veces rudo aire del mar que se levanta por la tarde en abril.

La miró. Vio sus tobillos delicados y bien dibujados, sus rodillas tersas y sus muslos torneados sin violencia. Estaba tirada en la silla de extensión, relajada, y en sus labios, gruesos, había una tentativa de sonrisa.

—¿Cómo te sientes? — le preguntó.

Ella abrió sus ojos y los entrecerró ante la claridad. Sus pestañas eran largas y curvas.

—Muy bien. ¿Y tú?

—Muy bien también. Pero, dime... ¿ya se ha ido todo?

—Sí — dijo ella.

—Y... ¿no hay molestia?

—En absoluto. Te juro que nunca me he sentido mejor.

—Me alegro.

—¿Por qué?

—Porque me fastidiaría sentirme tan bien y que tú no te sintieras bien.

—Pero si me siento bien.

—Me alegro.

—De veras. Créeme, por favor.

—Te creo.

Se quedaron en silencio y luego ella habló:

—¿Damos un paseo por el acantilado?

—¿Quieres?

—Cómo no. ¿Cuándo?

—Cuando tú digas.

—No, di tú.

—Bueno, dentro de una hora.

En una hora habían llegado a los farallones y ella le preguntó, mirando a la playa, hacia el dibujo de espuma de las olas, hasta las cabañas:

—¿Qué altura crees tú que habrá de aquí a abajo?

—Unos cincuenta metros. Tal vez setenta y cinco.

—¿Cien no?

—No creo.

Ella se sentó en una roca, de perfil al mar, con sus piernas recortadas contra el azul del mar y del cielo.

—¿Ya tú me retrataste así? — preguntó ella.

—Sí.

—Prométeme que no retratarás a otra mujer aquí así.

Él se molestó.

—¡Las cosas que se te ocurren! Estamos en luna de miel, ¿no? Cómo voy a pensar yo en otra mujer ahora.

—No digo ahora. Más tarde. Cuando te hayas cansado de mí, cuando nos hayamos divorciado.

Él la levantó y la besó en los labios, con fuerza.

—Eres boba.

Ella se abrazó a su pecho.

—¿No nos divorciaremos nunca?

—Nunca.

—¿Me querrás siempre?

—Siempre.

Se besaron. Casi en seguida oyeron que alguien llamaba.

—Es a ti.

—No sé quién pueda ser.

Vieron venir a un viejo por detrás de las cañas del espartillo.

—Ah. Es el encargado.

Los saludó.

—¿Ustedes se van mañana?

—Sí, por la mañana temprano.

—Bueno, entonses quiero que me liquide ahora. ¿Puede ser?

Él la miró a ella.

—Ve tú con él. Yo quiero quedarme aquí otro rato más.

—¿Por qué no vienes tú también?

—No — dijo ella —. Quiero ver la puesta de sol.

—No quiero interumpir. Pero es que quiero ver si voy a casa de mi hija a ver el programa de boseo en la televisión. Usté sabe, ella vive en la carretera.

—Ve con él — dijo ella.

—Está bien — dijo él y echó a andar detrás del viejo.

—¿Tú sabes dónde está el dinero?

—Sí — respondió él, volviéndose.

—Ven a buscarme luego, ¿quieres?

—Está bien. Pero en cuanto oscurezca bajamos. Recuerda.

—Está bien — dijo —. Dame un beso antes de irte. Lo hizo. Ella lo besó fuerte, con dolor.

Él la sintió tensa, afilada por dentro. Antes de perderse tras la marea de espartillo la saludó con la mano. En el aire le llegó su voz que decía te quiero. ¿O tal vez preguntaba me quieres?

Estuvo mirando al sol cómo bajaba. Era un círculo lleno de fuego al que el horizonte convertía en tres cuartos de círculo, en medio círculo, en nada, aunque quedara un borboteo rojo por donde desapareció. Luego el cielo se fue haciendo violeta, morado y el negro de la noche comenzó a borrar los restos del crepúsculo.

—¿Habrá luna esta noche? — se preguntó en alta voz ella.

Miró abajo y vio un hoyo negro y luego más abajo la costra de la espuma blanca, visible todavía. Se movió en su asiento y dejó los pies hacia afuera, colgando en el vacío. Luego afincó las manos en la roca y suspendió el cuerpo, y sin el menor ruido se dejó caer al pozo negro y profundo que era la playa exactamente ochenta y dos metros más abajo.

Caminó rápido por el callejón y sintió el ruido del motor que se acercaba. Dio media vuelta y regresó con rapidez a la calle que había dejado detrás. Caminó rápidamente y dobló en la siguiente esquina. Ya no oía el motor, pero seguía caminando rápido. Al llegar a la

avenida dobló a la izquierda y se pegó a la pared. En-
tonces vio la micro-onda azul y negra que se enfren-
taba a él, levantaba el hocico al llegar a la loma y avan-
zaba calle abajo a su encuentro. Oyó la voz y no pudo
oír lo que dijo, pero pudo imaginarlo: «¡Ése, ése mis-
mo es, Coronel»! El coronel saltó de la perseguidora
todavía en movimiento y levantó la ametralladora. «¡Pé-
gate a la pared con las manos bien altas!» El mucha-
cho lo miró, no dijo nada y despacio dio media vuelta
y se pegó a la pared. Otro policía lo registró: «Ah, ar-
madito y todo. ¡Qué bien!». El muchacho miró a la
pared y a la luz del atardecer distinguió las rugosida-
des del repello, la poca uniformidad de la pintura y
vio una hormiga que caminaba con trabajo pared ha-
cia arriba. «¡Quítense!» La hormiga cruzó un pellejo
de pintura, se perdió y volvió a aparecer más arriba.
Ahora estaba frente a sus ojos. «¡Quítense quítense ¡ca-
rajo!» La hormiga siguió su camino, indiferente, aje-
treada. «Ya verá!». La hormiga saltó contra el hombre
porque la pared tembló. Se hicieron uno, dos, diez des-
conchados, redondos, parejos, en sucesión. El mucha-
cho pegó contra la pared y cayó hacia atrás. El coronel
siguió disparando. Cuando se le agotaron las balas, ca-
minó hasta el muchacho y lo insultó y lo pateó y lo
escupió. Finalmente, sacó su pistola y le metió una bala
en la nuca. El tiro, los insultos, el salivazo, la patada
eran igualmente inútiles: el muchacho se llamaba Frank
y ahora estaba muerto.

OSTRAS INTERROGADAS

La muchacha cruzó las piernas y dejó ver sus pantorrillas tostadas. No era bonita, pero irradiaba ese atractivo tenaz de animal sano de algunas mujeres jóvenes. Lo más notable de su cara quizá vulgar era su boca: una boca botada, imperfecta, y decididamente sensual. Cuando reía mostraba dientes fuertes y encías muy rosadas. Vestía unos pantalones de lástex negro, ajustados alrededor de los muslos y las caderas; un zíper se abría invisible hasta más arriba de los jarretes. Una camisa masculina, arremangada, mostraba el nacimiento de los senos opulentos y sin permitir comprobarlo, insinuaba que no llevaba ajustadores. Era muy joven.

Volvió a cruzar y descruzar las piernas. No las exhibía: simplemente se aburría y desesperaba y ésa era su manera elemental de demostrar a la vez inconformidad y molestia. Dentro de unos momentos comenzaría a golpear el suelo con un pie y terminaría por pedir algo. Así mismo, no tardaría en ser complacida. Ella estaba acostumbrada a pedir y a ver convertido sus deseos en órdenes por el hombre que la acompañaba.

El hombre era viejo. Lo mismo podría tener cincuenta y siete que setenta y cinco, pero no parecía importarle gran cosa el orden que tomaran los dígitos. Era calvo y no muy gordo, aunque momentos antes había comido una comida deliciosa (según un *gourmet*: él mismo), atiborrada de calorías (según la mujer gorda de dos mesas más allá), lenta (según la muchacha) y fastidiosa (según el camarero y el cocinero). Vestía con sencillez y la única nota de suntuosidad en su atuendo, era un alfiler de corbata rematado por una perla que, dado su tamaño, no podía ser falsa.

Ahora fumaba un enorme tabaco y disfrutaba el placer reposado del fumar, aliñado con el recuerdo de la comida. Por entre el humo miraba a la muchacha y su vista acariciaba sus ojos grandes y negros, sus orejas desnudas, su cuello terso y una y otra vez se detenía en la boca carnosa. A su memoria acudía el recuerdo de otros momentos gratos y el hombre se sonrió mientras se dijo que no debía pensar así después de aquel almuerzo. «Gonzalo, ya no eres un niño», pensó. «No, ya no soy un niño, ni un joven, ni un hombre maduro: soy un viejo. Pero qué importa. Lo que importa es esto: las ostiones, la sopa de cebollas *au gratin*, el *chateaubriand* con salsa de trufas y los *crêpe-suzettes*, y esta chiquita y esta chiquita y esta chiquita... Un verdadero boccato di cardinali... un...» — boccato di Pacelli — dijo en voz alta.

La mujer que pensaba ahora en que el hombre le había prometido llevarla a *Tropicana* por la noche y que no tenía exactamente qué ponerse, preguntó:

—¿Qué cosa, Pipo?

—Nada, nada, mi vida. Una herejía.

Él sabía que ella no sabría qué cosa es una herejía y lo comprobó en la mueca que hizo, y cuando ella empezó a preguntar «¿Qué cosa...»», él rememoraba — ésa era la palabra que le gustaba, porque era dulce y grata y le venía perfectamente a los recuerdos sobre ella — los instantes en que la conoció y lo que sucedió después. Ella era la recepcionista de sus oficinas de la Lonja desde hacía un mes, cuando la vio por primera vez. Fue pura casualidad que dejara caer su vademecum ante el elevador y que ella lo recogiese. Una bendita («Gonzalo, no emplees ese adjetivo para eso»), curiosa casualidad, porque él jamás miraba a los empleados de pasillo — recepcionistas, telefonistas, ujieres, serenos, sirvientes o lo que fueran — y porque de no haberla visto aquel día, no la habría visto nunca, ya que ella iba a ser cesanteada al día siguiente. «Por incompetente. Mi madre, qué palabra: incompetente». Luego recordó con gracia la anécdota de cuando decidió no cesantearla, sino ascenderla hasta convertirla en su tercera secretaria privada — no se piense mal: las otras dos secretarias tenían más o menos su edad y sí eran competentes... en el buen sentido, en el sentido de Esteban Balbuena, director del Departamento de Sicometría e Ingeniería Humana: una denominación que no cabía en la puerta y una suficiencia que no cabía dentro de aquel hombre seco y esmirriado — y Balbuena le relató el resultado del *test*, perdón: de las investigaciones como decía Balbuena: «Señor Solaún, es inútil», le comunicó Balbuena: «Absolutamente ineficiente. ¿Sabe lo que ocurrió? Pues que Andreu la hizo pasar a mis oficinas y para calmar sus nervios le dijo a la muchacha que no le íbamos más que a hacer un *test* simple. ¿Sabe lo que dijo ella antes de salir tan rápido como entró? ¡Ah, no! Eso sí que no. Yo no me pongo ninguna vacuna de esas. Eso fue lo que dijo». Gonzalo Solaún se rió mentalmente y se sintió bien al recordar la experiencia de la primera vez con ella, la sensación exacta de regresar al género humano desde un inframundo de cotizaciones, juegos de bolsa, fragmentos de puntos que se clavaban como esquirlas de plata en su cerebro cuando descendían levemente. Pero la risa terminó ahí y ahí se detuvo el mecanismo del recuerdo, porque evitaba tan concienzudamente recordar los altercados con sus hijos y el llanto de su mujer y la partida de ella al extranjero y el alejamiento de sus nietos y el vivir solo en aquella casona (no, no había llevado su «locura» a vivir en el *penthouse* de ella), que se había convertido en un reflejo más de su cerebro lleno de reflejos condicionados a algo tan sutil y ajeno como el tableteo mecánico de la *teleprinter.*

—...es una herejía? — terminó de preguntar ella y el hombre regresó desde su memoria al salón comedor iluminado.

—Ah, una herejía, *herejía,* una herejía es mantenerte en la posición vertical — y para evitar una tercera pregunta sobre un mismo tema, que era la única cosa odiosa de esta preciosa liberación, reformó la explicación. — Una herejía es sacarte de la cama tan solo un instante. «Gonzalo, ¿por qué no tratas de simplificar tu lenguaje con ella, Gonzalo?»

—Pipo — exclamó la muchacha entre indignada y halagada —, tú no piensas más que en eso. Te va a hacer daño. Mi vieja siempre me ha dicho que no es bueno pensar siempre en eso y que además que quien siempre piensa mucho en eso no hace eso como se debe hacer eso.

Y Gonzalo Solaún no escuchó más que la palabra *eso* en toda la parrafada. «De ahí es donde la he cogido», pensó. A menudo se preguntaba desde cuándo había empezado a sustituir la palabra exacta y vulgar (y que tanto le complacía) que designaba el acto sexual por aquel *eso* y no acertaba a explicárselo. «Me estoy disfrazando las palabras. Dentro de poco comenzaré a ocultarme la realidad». Cosa que le molestaría sobremanera a un hombre que tantas muestras de realismo se había dado a sí mismo y a los demás. Porque, ¿qué otra cosa sino realismo había sido dejar de confesarse, primero, y de ir a misa, después? ¿Habría él podido estar aquí sentado, comiendo con ella? No comiendo, porque la gula no es exactamente un pecado, aunque esté entre los siete pecados capitales. Pero sí *con ella.* ¿Habría podido siquiera, de seguir confesándose como toda su vida, pensar el chiste sobre el ilustre *cardinale* transformado en el Santo Padre? No. Por eso era mejor terminar de una vez. ¿El infierno? No creía mucho en él y dudaba que se inventase algún sistema capaz de reducir un camello al grueso de un milímetro sin quitarle la vida. Además, estaban las indulgencias y el arrepentimiento final y el último acto de contrición.

Se alejó velozmente de esta rampa de asociaciones que le haría descender hasta pensar en la muerte y en una fosa húmeda y nada confortable y comenzó a escuchar la música indirecta, para llenar su mente con aquella melodía conocida. ¿Conocida? ¿Cuánto tiempo hacía desde que no había oído *L'Amour Toujours L'Amour*? Años. «Siglos», pensó finalmente. «Ah, la orquesta de Mantovani» — otra de las influencias de ella : saberse el nombre de las orquestas y de los intérpretes y de las piezas musicales y hasta su letra — lo estaba asesinando con sus violines helados y la profundidad macabra de la cámara de ecos y apenas si se reconocía el vals. Pero no importa. «Yo puedo recordarlo». Comenzó a tararearlo mentalmente, mientras movía rítmicamente — rítmicamente con el recuerdo — la cabeza. Finalmente, no pudo menos que comunicar lo que sentía, con esa gestión tan humana de transmitir las preferencias.

—Lindo vals, eh.

La muchacha hizo un gesto que lo mismo podía ser de desprecio que de hastío.

—Qué, ¿no es lindo?

Ella encogió sus labios y sus hombros redondeados y dio vueltas de anverso y reverso a su bien cuidada mano derecha.

—Así así.

—¿No te gusta el vals?

—Ay, Pipo, no me fastidies más. Sabes que la música clásica me cae como un plomo.

El vals, la orquesta y la sensación de tibio agrado se esfumaron. «Señor, ¿por qué las mujeres hermosas tienen que ser siempre o vanidosas o frígidas o estúpidas? Bueno, me imagino que es el precio que pagan por su hermosura. Siempre es así: siempre hay que pagar un precio por todo». Si lo sabría él. ¿Cuánto le había costado este juguete que se había permitido regalarse? No, no en dinero. Para él el dinero no contaba. En otras cosas. «Mejor no pensar. Mejor no pensar ni en esto ni en lo otro, ni en *eso*, aunque el médico me haya recomendado que evite hacerlo». Fijó su vista y su mente sobre los labios gordos y golosos y húmedos. «El amor es esencialmente húmedo. Es curioso. El odio es seco y la muerte es helada y el cariño es tibio, pero el amor es húmedo, y no sólo la idea del amor. Físicamente, el amor es húmedo». Nunca le había gustado particularmente esta calidad húmeda del amor, sobre la que pensaba hoy, pero que la experiencia había recogido antier, mucho antes de que la memoria lo registrase ayer u hoy. «Esta mañana». Quitó la vista de los labios y la posó en los ojos. Ella lo miró y mantuvo su mirada. Eso le gustaba. A él. Nunca se le había ocurrido preguntarse si le gustaba a ella. Jamás le había preguntado si le gustaba nada. Hombre, los regalos y esas cosas sí. Pero no referente a eso. Se sonrió: no sólo era Mantovani, era también Roque Barcia. Había perdido sus sinónimos y hablaba ya como ella, que siempre decía el «eso», la «cosa», el «coso», el «cachivache» y «así» a un sinnúmero de cosas, tan disímiles entre sí como un solitario de brillantes y la natilla.

Sintió que la sonrisa se le paralizaba totalmente. Levantó la cabeza y miró por encima de ella a través de los cristales empañados por la humedad, a la terraza llovida y la calle, por entre los árboles. Nada. La calma volvió y el alma le regresó al cuerpo, pero no la sonrisa. Creía haber visto al mayor de sus hijos, pero sólo fue una visión. «Una alucinación. Dentro de poco comenzaré a ver espíritus». O lo que sería peor: vería a sus hijos y a su mujer por todas partes. El parqueador sería uno de sus hijos, un camarero otro, el *head-waiter* otro, su mujer le cobraría la cuenta en la caja. «Bah. Ésa es una idea boba. Yo nunca pago la cuenta en la caja. Le firmo la cuenta al camarero y se acabó». Ella hablaba.

—¿Te pasa algo, Pipo?

En su voz había una solicitud muy cercana a la que uno pondría al preguntarle al administrador del banco donde guarda sus ahorros, si son fundados o infundados los rumores de quiebra escuchados en el banco rival.

—No, nada. Es que creía ver a alguien.

Ella revisó sus uñas y pensó en sacar el peine de la cartera (no lo hizo porque recordó que él le había dicho una vez que ésa era la peor muestra de mala educación que podía dar una mujer, pues era también una tremenda falta de higiene: «Los pelos pueden ir a parar a la comida ajena o a la propia, que es peor», eso era exactamente lo que recordaba) y peinarse, antes de preguntarle, sonando su apodo muy melosamente.

—Pipo...

—¿Qué ocurre? — preguntó él ante su demora. Sabía que venía una petición, pero no la presentía muy exigente: hasta ese punto había aprendido a evaluar el tono de aquel ridículo mote de cuatro letras. «Al menos, eso no se le puede negar», pensó: «Sabe cómo impartir las inflexiones necesarias a su escaso vocabulario. Eso es bastante humano».

—Pipo, viejito, ¿por qué no nos vamos?

«¿No era más que eso? Se está ablandando.»

—Ya te lo he dicho, mi vida — respondió él, indulgente.

—¿Qué cosa?

—Estamos esperando a Sotolongo — le pareció que espaciaba demasiado las sílabas, como si le estuviera hablando a un niño. «Después de todo, ella no es una niña», pensó y volvió a hablar, esta vez más normal mente: — Recuerda que quedó en verme aquí y es im portante para mí... para nosotros... que le veamos hoy Traerá noticias de qué es lo que quiere tu madre exac tamente...

Ella mostró ahora una cara diametralmente opuesta a su melosidad de hace poco.

—Ah, esa mamá jode...

—No, no — le interrumpió él —. Malas palabras no Recuerda dónde estamos.

La mujer se contuvo. Finalmente, resopló.

—Es que mamá me ataca de verdá.

—Ya lo sé. Y no creas, que a mí también. Pero bajo las presentes condiciones, es más prudente aguardar las ofertas.

«Pura jerga financiera», pensó cuando terminó de hablar.

—Está bien, espéralo tú. Dame la llave de la máquina — dijo la mujer y se puso de pie: era verdaderamente hermosa.

—¿Te vas? — preguntó el hombre, casi alarmado.

—No, Pipo, tú eres bobo: cómo me voy a ir. Dame las llaves que quiero oír la novela — y miró a su costoso, diminuto reloj de oro — ya son casi las dos y no me voy a perder el capítulo de hoy. Figúrate tú...

La mujer comenzó a relatar una serie de increíbles vicisitudes humanas y mientras parecía oírlas, el hombre pensaba: ¡Las novelas! No hay manera que las deje de oír. Basta, basta, *basta*...».

—Toma la llave. Ve y oye tu novelita tranquilita y ya me la contarás después.

El hombre se levantó cuando la mujer tomó la llave y comenzó a salir de entre las partes de la silla que todavía aprisionaban sus piernas y la vio irse. No pudo menos que admitir que verla caminar era un espectáculo. «Y eso estando con ropas».

Pasaron unos cinco minutos antes de que aparecieran. Esta vez sí era cierto. «Vaya, una comitiva.» Venían su hijo mayor y su hijo menor. «¿Dónde habrán dejado el del medio?» No saludaron al llegar a la mesa y tampoco se sentaron. El mayor habló primero. «A cada uno su turno».

—Papá, ¿es necesario que se exhiba usted así? — preguntó el hijo mayor, con tono indignado, pero en voz baja. Era un hombre de unos cuarenta y cinco años de edad. No se parecía en nada a su padre, aunque quizá hubiera algo suyo en la voz autoritaria. El padre iba a responder airado, pero recordó a su médico y dijo conciliador:

—¿Exhibirme yo? — iba a agregar: En todo caso la que se exhibe es ella. Yo la exhibo a ella. Pero dijo: — ¿Ustedes creen que la vejez es un espectáculo?

—Eso es exactamente lo que yo iba a recomendarle — dijo el hijo mayor: — que recordara sus años.

—No hay necesidad. Sé sumar. Y restar. Y multiplicar, sobre todo multiplicar.

El hijo mayor pareció ver alguna oculta indirecta en las palabras de su padre y dio dos pasos atrás, como si retirara su cuerpo en señal de que retiraba sus palabras.

—Vamos a ver, hijo — dijo el padre —, ¿qué me reprochan ustedes, que trate de vivir como un hombre los últimos años de mi vida, en vez de seguir siendo una máquina de sumar hasta que salte el muelle?

El hijo mayor no dijo nada, pero el hijo menor pareció dispuesto a hablar. Era un hombre de treinta años, de aspecto débil: muy pálido, usaba espejuelos color naranja subido que le ocultaban los ojos y se peinaba el pelo renegrido muy apretadamente. Habló con una voz suplicante y conminatoria:

—Papá, ¿pero no ve usted papá que esa mujer le

roba el dinero? ¿Es que está usted ciego para no ver que usted no le puede gustar, que sólo está con usted por su dinero y que si usted no fuera rico ni siquiera miraría en su dirección si se caía usted muerto?

El padre de pronto sintió su vejez. Algo se encogió en su interior, pero fue sólo un instante. Dio una última chupada expansiva al tabaco antes de apagarlo en el cenicero y preguntar a su vez:

—Dime una cosa, Eddy. ¿Cuál es mi plato favorito?

—Los ostiones — respondió el hijo en seguida.

—Bien. Veo que todavía te acuerdas de mis preferencias.

El hombre hizo chasquear un dedo y llamó:

—Eusebio, la cuenta.

Demoró su respuesta hasta que le trajeron la cuenta y la firmó. Entonces se puso en pie y le dijo al hijo, su cara frente a la otra:

—*Las* ostiones. ¿Y le he preguntado alguna vez a las ostiones si yo les gusto, para comérmelas?

Era su hermano y había caído del otro lado del río.
Lo supo cuando vio que no corría junto a él. Entre el
estruendo y el silbido de los obuses, creyó haber oído,
«¡Candito! ¡Candito!», pero siguió corriendo por sobre
las chinas pelonas. Por fin lo vio.

Hace señales de tregua con su pañuelo mientras desanda el camino. El otro hombre, el de la barba tupida y el moño tras la cabeza sujeto por una peineta grande, el hombre fornido, ágil, el otro hombre, su hermano, ahora estaba tumbado bocarriba con la cabeza en el agua y el cuerpo doblado hacia la orilla. Una de sus piernas se agitaba con un temblor repetido. Toda la camisa estaba cubierta por una mancha parda que se extendía. Su cabeza se viró en dirección del agua y la pierna dejó de golpear contra el suelo.

Trataba de moverlo hacia la orilla, de cargar con él, mientras evitaba las balas. Una o dos pegaron en el agua, cerca. Tiró de él por la pierna con una mano mientras la otra sostenía la escopeta.

Ya estaban en tierra firme. Lo cargó. Se irguió un poco y arrancó a caminar.

Vadeó la orilla hasta más allá de los jagüeyes y comenzó a atravesar la corriente.

No oyó las balas. Cualquiera habría pensado que resbaló en el fango. Pero cayó hacia atrás y no se movió. El otro hombre cayó sobre él y sus cuerpos formaron una cruz. Nunca supo que el otro hombre, su hermano, había muerto antes que él creyera oír su nombre.

La batalla duró 21 días y cuando las lluvias cesaron, el río se convirtió en arroyo, en un hilo de agua, en una zanja fangosa, en un polvero. Sus cadáveres se secaron al sol, se pudrieron en las noches húmedas y los huesos asomaron asombrosamente blancos por entre los jirones de color verde-olivo.

El mulato grande se llamaba Juan Cáceres. El guajirito rubio se llamaba Cándido Plasencia. Ninguno tenía galones.

EL DÍA QUE TERMINÓ MI NIÑEZ

Cuando desperté no reconocí dónde estaba. Al fondo había una ventana cerrada y al darme vuelta, mi cara quedó frente a una puerta también cerrada. Por debajo de la puerta se colaba la claridad del amanecer. A través de las hendijas de la ventana entraba la luz de la calle y se reflejaba en la pared. Oía los pasos de la gente que caminaba por la acera y luego veía sus sombras reflejadas en la pared. Los pasos se acercaban primero y luego las sombras comenzaban a crecer y alejarse de la ventana y marchaban al compás de los pasos, refugiándose en el rincón más oscuro, mientras las pisadas se perdían en la calle.

Me senté en la cama y en seguida recordé que mi padre se había ido lejos la noche anterior y que dormía con mi madre. En el cuarto también estaba la cuna de mi hermano. Él y yo dormíamos juntos en el otro cuarto, pero ahora mi madre nos había traído para el suyo y así tenernos cerca y vigilarnos. Yo le llevaba cuatro años a mi hermano y él era grande aunque todavía durmiera en la cuna: tenía cuatro años y dormía en la cuna porque no había otra cama. Ahora no estaba en la cuna y caminaba derecho, pero cuando estaba en la cuna tenía que dormir doblado y yo temía que se quedara así jorobado para siempre, pero mi madre no parecía darle mucha importancia al hecho.

Me levanté y abrí la puerta que daba a la cocina. Con el aire entró un agradable olor a tierra húmeda, a rocío y el acre aroma de la cuaba al arder. Mi madre encendía la candela disponiendo las astillas de leña en pirámide sobre un pedazo de papel colocado dentro de la hornilla. Ella había cortado las astillas con el cuchillo de cocina y mi hermano jugaba en el patio con el cuchillo cortando astillitas de madera y clavándolas en la tierra mojada, imitando una cerca.

—¿Se levantó ya el dormilón? — preguntó con afecto mi madre, mientras echaba agua en la palangana. — Lávate.

Me lavé y me senté entre dormido y despierto en uno de los taburetes, junto a la mesa. Encima de la mesa, en la pared, había un cuadro que no era más que una litografía sobre cartón duro. La litografía representaba un palacio construido en el agua. A la izquierda, dentro del palacio, había un lecho y en él dormía una dama envuelta en muy escasas ropas transparentes. Inclinada sobre ella aparecía un individuo rojo, de rabo terminado en flecha y cuernos puntiagudos, algo que debía ser un diablo sin que acabara de serlo del todo. Era un anuncio. Ahora yo sé que el palacio debía ser alguna mansión de Venecia y que el caballero rojo era la representación de un mosquito. El anuncio tenía una inscripción en inglés que decía más o menos: *Do you want to SLEEP?*, y mencionaba un producto que debía aniquilar con premura cierta al diablo rojo, a los mosquitos. Yo me pasaba las horas en la cocina mirando el cuadro, hipnotizado tratando de leer el letrero y de comprender su significado, pero éste siempre se me escapaba.

—Venaver — me llamó mi hermano desde el patio y allá fui yo.

Había completado la pequeña cerca y en medio de ella había un cangrejo colorado tirando de una cajita de cartón llena de piedras. Me senté a su lado.

—¿Cómo lo hiciste?

No me contestó. Me mostró las dos muelas del cangrejo en su mano y fue entonces que me di cuenta de que el cangrejo estaba desmuelado, completamente desarmado sin sus tenazas. Pero en sus ojos solidificados había un sordo rencor que demostraba torcidamente, arrastrando su «carreta» como en espera de una mejor oportunidad de venganza.

Mi madre me llamó y me pidió que fuera a comprar el pan. Salí de la casa y sentí esa inquietante sensación de libertad que experimentan todos los niños en la calle. Es un sentimiento confuso de miedo y alegría ante la amplitud del espacio: las calles anchas, abiertas y el techo inalcanzable del cielo, la luz inmensa y el aire, ese aire indescriptible de los pueblos que el que vive en la ciudad no se puede imaginar. Caminé despacio las dos cuadras hasta la panadería y no hallé a nadie por la calle. Al regreso, me encontré con Fernandito frente a casa. Vino a mi lado.

—¿Jugamos hoy a los bandidos? — me preguntó.

—No puedo.

—¿Por qué?

No quería tener que explicarle que iba a salir con mi madre. No era muy bien visto en el pueblo el muchacho que salía con la madre a hacer visitas.

—No puedo.

—¿Pero por qué?

—Tengo que salir con mi madre.

No quise ver la expresión de desaliento en la cara de Fernandito y comencé a patear con un cuidado exquisito una piedra. Fernandito caminó a mi lado en silencio y se detuvo en la puerta de casa.

—¿Ya hiciste la carta? — le pregunté para variar el tema.

—Yo no, todavía. ¿Y tú?

—Anoche.

—Yo no me apuro. Total, todos los años es lo mismo: yo pido una cosa y me traen otra.

Fernandito siempre se quejaba los Días de Reyes de no recibir el regalo que pedía. Si pedía un revólver, le traían un guante y una pelota; si pedía un traje de vaquero, le traían un camión de cuerda; si pedía un juego de carpintería, le traían una carriola. Yo no podía quejarme. Mis regalos casi siempre estaban de acuerdo con mis deseos: es decir: ellos se ponían de acuerdo entre sí.

—Ya yo hice mi carta y la cerré. También le hice la de mi hermano.

—¿Qué pediste?

—Ah, no señor. Eso sí no te lo digo.

—¿Y tu hermano?

—Tampoco. Es un secreto. Ni mi mamá lo sabe.

—¿Eh y por qué, tú?

—Es un secreto, simplemente.

—Está bien, guarda — dijo y se fue bravo.

—Eh, oye — le grité —, ¿jugamos mañana?

Pero desapareció tras la esquina sin responder.

Cuando entré en casa abrí las ventanas y dejé la puerta entreabierta asegurada con una aldaba chica. Me dirigí hasta el almanaque y arranqué la hoja del día anterior. Frente a mí surgió el número y la fecha: 3 de enero. Levanté las dos hojas siguientes y leí: Visita de los Reyes Magos al Niño Jesús. Dejé el almanaque donde estaba.

A eso de las once mi madre me mandó a comprar los mandados del almuerzo y al llegar a la tienda, me la encontré llena de gente. Todos escuchaban la palabra llena de ruido de Evensio, un mulato alto y fuerte y joven que siempre hablaba de todo. Ahora el tema era las posibilidades de un negocio en el Día de Reyes. Lo primero que pensé era que Evensio había pedido una tienda o una venduta a los Reyes Magos. Pero al seguir hablando, deseché esa idea. Evensio hablaba de otros negocios, de negocios ajenos.

—Vamos a ver, la posibilidá de negocio es ótima, porque los muchachos siempre piden y los padres siempre compran y las compras hay que pagarlas tarde o temprano...

—¿Lar qué tú hazes también, Evenzio? — le preguntó Saralegui, el dueño de la tienda.

La gente se rió y yo también me reí aunque no entendía nada de lo que hablaban. Aproveché que Evensio se había callado un momento para pedir mis mandados. Antes de que acabase de leer la lista, Evensio había recobrado la palabra.

—Sí, Sara, las mías también. Pero ésas vendrán mag adelante, tan pronto cuando me avisen del sentral. Lo que yo desía, caballero, es que las Pacuas y el año Nuevo y los Reyes Magos han sido inventados por los comersiantes. ¿Quién se benefisia con esos días? No soy yo...

Seguía hablando todavía, cuando me echaban todos los mandados en un cartucho.

—Dice mi mamá que lo apunte — le dije al dependiente. El muchacho volvió a coger el cartucho y me dijo: — Espérate.

Fue hasta donde estaba Saralegui y habló con él, bajito. Saralegui me miró y yo no pude sostenerle la mirada y volviéndose al dependiente, hizo seña de que sí con la cabeza mientras movía los labios.

—Dise Don. Pepe que le digas a tu mamá... Deja, dise que está bien.

Ya iba a marcharme, cuando acerté a pasar por debajo del brazo extendido de Evensio. Él hablaba del mismo tema todavía.

—Son los muchachos que aunque no haya mucho embullo, siempre piden... — y se detuvo para mirarme inquisitivo.

—¿Vamo a ver, tú qué le pediste a los Reyes?

Traté de buscar en la mente algo que no se pareciese a lo que yo había pedido, pero que fuera semejante a un regalo.

—Un mascotín de primera base.

—Ven: un mascotín de primera base. Eso vale como uno sincuenta, sin contar otras cosas que también te se hayan ocurrido, eh. Pue bien, ahí lo tienen: un mascotín de primera y el otro de allá querrá un velosípido y otro...

Después de almuerzo, dormimos la siesta mi hermano y yo. Mi madre nos despertó como a las cuatro, nos bañó y nos vistió de limpio. Salimos con ella a visitar un tío de mi padre que tenía algún dinero, pero a quien no le gustaban los niños, ni las mujeres, ni las visitas de los parientes. Mi madre durante todo el camino no cesaba de advertirnos cómo comportarnos, qué no hacer, cuál asiento ocupar, cuándo levantarse o pedir la bendición. Caminamos por la calle que bordea los límites del pueblo y nadie podría haber dicho que era invierno. Soplaba un aire tibio, evanescente, que venía del mar y los árboles se recostaban contra un cielo pálido y brillante. A lo lejos, en la bahía se veían las velas blancas de dos o tres botes cortando las aguas azul oscuro como las aletas de un pez inmaculado. Afortunadamente, por el camino no vi a Fernandito ni a ninguno de los muchachos del barrio.

Mi madre tocó en la puerta con un toque que tenía tanto respeto como incertidumbre de no ser oído. Nerviosa, nos agarró a nosotros por los brazos, para no volver a tocar. Cuando sintió que adentro comenzaba a quitar los cerrojos de la puerta, nos dijo muy bajo, entre sus dientes apretados:

—Recuerden.

Entramos. Ya me iba a preguntar yo cómo alguien podía caminar sin caerse en un lugar tan oscuro, cuando mi hermano tropezó con una silla, que cayó al suelo con estrépito. Por la queja estirada hacia arriba de mi hermano, comprendí que mi madre le halaba una oreja. Nos sentamos en la sala en unos muebles grandes,

179

demasiado llenos de adornos de cobre y hechos de cuero repujado en relieve alto, demasiado alto para ser cómodos. Mis pies colgaban sin llegar al suelo y mi madre cargaba a mi hermano.

Hacía dos meses que yo no veía al tío y me preguntaba si todavía llevaría la barba canosa llena de migas de pan. La última vez que lo ví acababa de comer y se levantaba de la mesa con la barba llena de pan. Vino a besarme en la cabeza y durante días me quedó el olor a tabaco y a vino tinto en el pelo. Al menos, eso me pareció a mí, aunque insistí con mi madre que me lavara la cabeza tres veces esa semana. El tío apareció tras una cortina tan negra como la sala y vino hacia nosotros con su cuerpo enorme. Debía sonreírse, pero no se veía nada bajo la barba espesa.

—Buenas tardes, María — dijo.

—Buenas tardes, don Mariano — dijo mi madre.

Nosotros dos corrimos hacia él con los brazos cruzados y le gritamos a coro, con tanto miedo al tío como a nuestra madre en la voz:

—La bendición tío.

—Dios los bendiga, sobrinos — dijo tío Mariano con su voz con eco.

Miré a mi madre y la vi mirándome fijamente con sus ojos endurecidos y me pregunté qué habíamos hecho mal. En seguida recordé que nos habíamos olvidado de darle las buenas tardes, antes de pedirle la bendición.

—Buenas tardes también tío — dije yo, dejando en la estacada a mi hermano, pero él no se preocupó mucho por ello.

—Un poco demasiado tarde, me parece — dijo mi madre, con dureza.

—Déjalos María, son niños. ¿Y qué te trae por aquí, sobrina?

Mi madre nos mandó a que fuéramos a tomar agua

180

a la cocina. Allí la criada nos enseñó la despensa del tío: del techo colgaban unas sogas a las que se amarraba en el medio una rodela de latón. Las sogas sostenían una tarima de cedro y encima de ella había jamones, latas de chorizos, pomos de galleta, plátanos, un pilón y una serie de latas, cartuchos y cajas de cartón que debían contener más comida. La criada nos dio el agua y nos volvió a traer a la cocina. Fue entonces que mi hermano vio las rodelas de latón.

—¿Eh, y esas ruedas de lata para qué son? — preguntó.

—Para los ratones — contestó la criada muy oronda, como si ella fuese la autora del sistema.

—¿Para que duerman? — preguntó mi hermano con una mueca de perplejidad.

—Para que no se coman la comida, imbécil — le dijo la criada.

—Usted no le diga eso a mi hermano — le dije yo —, porque se lo digo a tío Mariano.

La criada estaba molesta porque no había dicho la última palabra, pero de repente se mostró muy complaciente:

—¿Quieren comer jamón? — nos preguntó y cuando le dijimos que sí, muy entusiasmados, nos respondió con la sonrisa más bestialmente malvada que he visto en una mujer, diciendo:

—Pues cómprenlo.

Cuando regresamos, ya mi madre estaba de pie.

—¿Nos vamos ya? — preguntó mi hermano.

—Sí, nos vamos ya — dijo mi madre.

Mi madre se despidió del tío, que se había quedado sentado.

—Hasta otro día, don Mariano. Y muchas gracias.

—De nada, María. Para servirte. Perdona que no me ponga de pie, pero me duelen demasiado las piernas.

—No se preocupe por eso. Niños — y con esa palabra quería decir que nos despidiéramos.

—La bendición tío.

—Dios los bendiga una vez más.

—Adiós — esta vez lo dijimos los dos.

Afuera casi oscurecía y toda la calle se llenaba de un color rojo violeta. Caminamos por el pueblo para ver las vidrieras de las tiendas llenas de juguetes y en cada una mi hermano encontraba algo nuevo que añadir a la lista, señalándomelo por lo bajo. Al doblar para regresar a casa, nos encontramos con Blancarrosa, una prima de mi padre que era divorciada. Venía con su hijo. Hablaba tan rápido siempre, que yo no podía menos que mirarle a los labios para ver cómo los movía. También abría y cerraba los ojos al hablar y se permitía otras muecas más o menos sincronizadas con la voz. Mi madre decía que era muy expresiva.

—¿Qué, vienen de paseo? Mirando los juguetes, seguro. Yo también saqué a mi muchacho, que me tenía loca, hija, para que viera los juguetes. Lo traje para que señalara los que le gustaban más y ver cuánto costaban...

Aquí mi madre pareció oír algo grave en la conversación, porque nos miró rápidamente y tocó en el brazo a Blancarrosa y la miró fijo.

—Vieja — le dijo —. Fíjate, por favor.

Blancarrosa se rio con su risa gutural y dijo:

—Ay, hija, ¿pero tú todavía andas alimentando esas paparruchas?

Me pregunté qué animal sería aquel, al que mi madre daba comida, pero no pude prestarle mucha atención porque el hijo de Blancarrosa estaba haciéndole unas señas de lo más feas a mi hermano y le pegué un manotazo.

—Niños, ¿qué es eso? — dijo mi madre —. Dejen que lleguemos a casa, para que vean.

—Deja a los muchachos que se peleen, para eso nacieron machos — dijo Blancarrosa y continuó: — Pues sí, hija, yo estoy por lo positivo. Yo no me explico cómo tú, teniendo las ideas que tiene tu marido, andas todavía con esas boberías.

Mi madre estaba molesta, pero también aparecía apenada.

—Bueno, Blanca — dijo finalmente —, te tengo que dejar porque me voy a hacer la comida.

—Ay, hija, qué esclavizada estás. Ahora cuando yo llegue a casa, le abro una lata de salchichas a éste y se las come con galletas y ya está — eso fue lo último que dijo, porque mi madre se fue.

Al día siguiente — día 4 — encontré a mi madre muy preocupada por la mañana. Le pedí permiso para ir a jugar a los pistoleros y me lo dio, pero no pareció oír lo que yo decía. Sólo cuando mi hermano quiso ir también dijo:

—Lo cuidas bien.

—Pero, mami, si es muy chiquito.

—Es tu hermano y quiere ir.

—Pero es que cada vez que lo llevo no puedo jugar. Siempre pierdo, porque él saca la cabeza cuando nos escondemos y me denuncia.

—Llévalo o no vas.

—Está bien. Vamos, avestruz.

Estuvimos jugando toda la tarde y no gané ni una sola vez. Mi hermano sacaba la cabeza del refugio cada vez y disparaba su «pistola» — dos pedazos de madera clavados en ángulo — a diestro y siniestro. Yo no sabía bien lo que era un avestruz, pero había visto su figura en unas postalitas de animales que coleccioné una vez y no podía dejar de pensar en la similitud del cuello de mi hermano, estirado por sobre cualquier parapeto que nos ocultara, muy semejante al pescuezo del avestruz en la litografía. Regresamos tarde y cansados.

Llegamos a casa, comimos sin bañarnos y nos tiramos en el suelo sobre unos sacos de yute a coger el fresco del patio que soplaba por encima de las enredaderas y los crotos y hacía crujir la alta mata de grosellas, trayendo el aroma dulce y picante de la madreselva y el chirrido mecánico de los grillos y más allá el ruido del mar y el ocasional croar de las ranas en el aljibe. El aire fresco me daba de lleno en la cara y yo cerraba los ojos y soñaba con los juguetes que me traerían los Reyes. Era un secreto entonces, pero no era un secreto más que para Fernandito. Porqué, ¿a qué decirle lo que contenían las cartas, si no contenían nada? Es verdad que las había hecho y las había cerrado y guardado, pero los papeles que contenían los sobres estaban en blanco. Yo intuía que los Reyes no podrían traer muchas cosas ese año y por eso había dejado las cartas en blanco. Serían los regalos los que llenarían después el espacio en blanco.

—No te duermas, que quiero hablar contigo — me dijo mi madre sacudiéndome por un hombro. Me senté, alarmado.

—¿Qué es?

—No te asustes. No es nada malo. Ven para acá — y me llevó para la sala.

Me hizo sentar a su lado en el viejo sofá de mimbre

—Ahora que tu hermano está dormido quiero hablar contigo.

Se detuvo. Parecía no saber cómo seguir.

—Tú eres ya un hombrecito, por eso es que te digo esto. ¿A qué tú crees que fuimos a ver a tu tío Mariano, a quien nunca vemos y que no tiene muchas ganas de vernos tampoco?

Un niño sabe más de lo que piensan los mayores, pero él también conoce el doble juego y sabe qué parte le toca.

—No sé — dije —. Me lo figuro, pero no sé bien.

¿A pedirle dinero?

—Eso es: a pedirle dinero. Pero hay algo más. Tu padre se ha ido lejos a buscar trabajo y es probable que no lo encuentre en seguida. Yo quiero que tú me ayudes en la casa. Que no ensucies mucho tu ropita, que me hagas los mandados, que cuides a tu hermanito. Otra cosa: mientras tu padre encuentra trabajo no podrá mandarnos dinero, así que yo lavaré y plancharé. Necesito que tú me lleves y me traigas la ropa.

Vi el cielo abierto. Yo creía que ella me iba a decir otra cosa y todo lo que hacía era pedirme ayuda.

—Todavía hay más: vas a tener que ir a menudo a casa de tu tío, aunque no te guste. Él nos va a mandar alguna de su ropa para lavar.

—Está bien, yo voy.

—Recuerda que tienes que ir a buscarla por el zaguán, no por la puerta de alante y se la pides a la criada.

Mi madre siguió dándome instrucciones y cuando observé que las repetía más de una vez, sentí que se me hacía un hoyo en la boca del estómago: ella trataba de decirme algo más, pero no podía. Por fin se detuvo.

—Atiéndeme, hijo. Lo que voy a decirte es una cosa grave. No te va a gustar y no lo vas a olvidar nunca — y sí tenía razón ella —. ¿Recuerdas, mi hijito, la conversación que tuve con Blancarrosa ayer? ¿Sí...? ¿Te diste cuenta de algo?

—Sí, que nosotros comemos mejor que los hijos de ella.

Mi madre se rio con una risa apenada.

—Todavía eres más niño de lo que yo pensaba. No es eso, es referente a los Reyes Magos.

Por fin: lo había visto venir desde el principio. ¿Qué será?

—¿Lo de los Reyes?

—Sí, hijito, lo de los Reyes. ¿No te diste cuenta que ella trataba de decirle a ustedes que los Reyes no existían?

No me había dado cuenta de ello, pero comenzaba a darme cuenta de lo que mi madre se traía entre manos. Ella tomó aliento.

—Pues bien: ella lo hizo sin malicia, pero de despreocupada que es, yo lo hago por necesidad. Silvestre, los Reyes Magos no existen.

Eso fue todo lo que dijo. No: dijo más, pero yo no oí nada más. Sentí pena, rabia, ganas de llorar y ansias de hacer algo malo. Sentí el ridículo en todas sus fuerzas al recordarme mirando al cielo en busca del camino por donde vendrían los Reyes Magos tras la estrella. Mi madre no había dejado de hablar y la miré y vi que lloraba.

—Mi hijito, ahora quiero pedirte un favor: quiero que mañana vayas con este peso y compres para ti y para tu hermano algún regalito barato y lo guardamos hasta pasado. Tu hermano es muy chiquito para comprender.

Eso o algo parecido fue lo último que dijo, luego agregó: «Mi niño», pero yo sentí que no era sincera, porque esas palabras no me correspondían: yo no era ya un niño, mi niñez acababa de terminar.

Pero, las lecciones de la hipocresía las aprende uno rápido y hay que seguir viviendo. Todavía faltaban muchos años para hacerme hombre, así que debía seguir fingiendo que era un niño. Al día siguiente me encontré con Fernandito cuando venía de la tienda. Llevaba yo bajo el brazo un par de sables de latón y sus vainas y un pito de auxilio, que me habían costado setenta centavos. Me acerqué a Fernandito que pretendía no haberme visto.

—Oye, Fernandito — le dije, amistoso —, un amigo vale más que un secreto. Te voy a decir lo que le pedí a los Reyes.

Me miró radiante, sonriendo.

—¿Sí? ¿Dime, dime qué cosa?

—Un sable de guerra.

Y para completar el gesto infantil, imité un guerrero con su sable en la mano, el pelo revuelto y una mueca de furia en el rostro.

15

Hay una mancha en la pared, cerca del suelo — ¿es sangre? La oscuridad no deja ver bien. En el techo hay telarañas, mugre, tal vez hollín. Las paredes están garrapateadas y por entre las lagunas de la humedad se pueden leer los letreros: «maMá tE QUiero mucHo

PRUdeNcio» ¿Quién es Prudencio? ¿Dónde está ahora?
Aparece otro: «Biva, Cuva Lire!!!» También más allá
con perfecta ortografía está escrito sobre la pared un
párrafo. Parece que lo han hecho con la punta de un
gancho y quizá su autor sea una mujer: «La Tiranía
toca a su fin. Lo sé porque las torturas aumentan. Cuando los asesinos sienten miedo su única expresión es la
tortura». La última palabra ha sido preciso adivinarla,
porque casi había sido borrada; pero quien la borró
quería que, con trabajo, fuera posible leerla.

«Mami, no tengo miedo. Voy a morir y no tengo
miedo.» (Esto está escrito a lápiz, con un letra fea pero
decidida.) «HA LLEGADO EL TIEMPO DE LOS
¿No adivinan ustedes la palabra que falta? Algo — y
cunde una sospecha temerosa — le impidió terminar.
«CuERga eR 26». El autor quiso decir «Huelga el día
26». Hizo lo mejor que pudo y nadie sabe cuánto le
costó escribir esta frase que al principio parece el dis-
curso de un morón. «¡Viva Cuba Libre!» No queda otro
remedio que pensar en un hombre maduro, que no ha
querido sumarse a la causa de los jóvenes, pero que
por ella ha sufrido prisión, sin duda torturas y acaso
la muerte.

«Que alguien diga a mi mujer Fela que vive en Pa-
saje Romay 15 la habitación no recuerdo que su marido Antonio fue torturado y que murió como un hombre
Antonio Pérez.» Hay un dibujo obsceno y una palabra
encima, terrible: «Batista». Otro ha querido describir
las torturas y ha hecho un garabato.

Si hubiera más luz se podrían leer los demás mensajes. Pero los que hay bastan. Ellos son la verdadera
literatura revolucionaria.

ÍNDICE

Impreso en el mes de enero de 1975
en los talleres de
I. G. Seix y Barral Hnos., S. A.
Provenza, 219 - Barcelona

DATE DUE

MAR 22 '77			